Puzzles Book
with Solutions
Super Collection
VOL 4

Easy Enigma Sudoku for Beginners, Intermediate and Advanced.

Quizlix

CW00551468

The information in the following pages is broadly considered a truthful and accurate account of facts and as such, any inattention, use, or misuse of the information in question by the reader will render any resulting actions solely under their purview. There are no scenarios in which the publisher or the original author of this work can be in any fashion deemed liable for any hardship or damages that may befall them after undertaking information described herein.

Additionally, the information in the following pages is intended only for informational purposes and should thus be thought of as universal. As befitting its nature, it is presented without assurance regarding its prolonged validity or interim quality. Trademarks that are mentioned are done without written consent and can in no way be considered an endorsement from the trademark holder.

Introduction for Sudoku Puzzles

What Is Sudoku?

The Rules The objective is to fill a 9x9 grid with digits so that each column, each row and each of the nine 3x3 sub-grids that compose the grid contain all of the digit from 1 to 9 with no repeats. A Sudoku puzzle will have only one possible solution.

For example, here is a solved Sudoku puzzle:

5	3	4	6	7	8	9	1	2
6	7	2	1	9	5	3	4	8
1	9	8	3	4	2	5	6	7
8	5	9	7	6	1	4	2	3
4	2	6	8	5	3	7	9	1
7	1	3	9	2	4	8	5	6
9	6	1	5	3	7	2	8	4
2	8	7	4	1	9	6	3	5
3	4	5	2	8	6	1	7	9

Cut it Out!

This book has wider inner margins. This means that you can easily cut or rip out the pages. Some people find this make it more convenient to solve the puzzle.

Solving Techniques

Only Possible Square

Look for squares that are the only place in a row, column 3x3 section that can have a particular number. That number must go in that square, so write it in!

Only Possible Numbers

Look for squares that can have only one possible number. That number must go in that square, so write it in! In the example below, the square in the sixth row is a 3 because that is the only possible number allowed in that square.

Candidate Numbers

For the hard puzzles section of this book it can be helpful to write all the possible candidate numbers into each square in small print. The use this information and logic to remove all but one candidate number for a square.

Don't Guess!

Be sure you have the correct number for a square before you write it in as your final answer. Once you make a mistake it can be very hard to undo the damage later.

Word Search Puzzles

The Best for Relaxing

A **word search**, **word find**, **word** seek, **word** sleuth or mystery **word** puzzle is a **word** game that consists of the letters of **words** placed in a grid, which usually has a rectangular or square shape.

The objective of this puzzle is to **find** and mark all the **words** hidden inside the box.

```
J  S  O  L  U  T  I  S        J  S  O  L  U  T  I  S
S  U  N  A  R  U  U  A        S  U  N  A  R  U  U  A
N  E  P  T  U  N  E  T        N  E  P  T  U  N  E  T
S  O  N  I  E  I  S  U        S  O  N  I  E  I  S  U
R  C  E  V  T  R  E  R        R  C  E  V  T  R  E  R
A  H  T  R  A  E  S  N        A  H  T  R  A  E  S  N
M  M  E  R  C  U  R  Y        M  M  E  R  C  U  R  Y
```

EARTH	NEPTUNE
JUPITER	SATURN
MARS	URANUS
MERCURY	VENUS

Strategies

A common strategy for finding all the words is to go through the puzzle left to right (or right to left) and look for the first letter of the word (if a word list is provided). After finding the letter, one should look at the eight surrounding letters to see whether the next letter of the word is there. One can then continue this method until the entire word is found.

Another strategy is to look for 'outstanding' letters within the word one is searching for (if a word list is provided). Since most word searches use capital letters, it is easiest to spot the letters that stand out from others. These letters include Q, J, X, and Z.[1]

Lastly, the strategy of looking for double letters in the word being searched for (if a word list is provided) proves helpful, because it is easier to spot two identical letters side-by-side than to search for two different letters.

MUSIC CLASS

GRALELO   _ _ _ _ _ _ _

IEARGPOG   _ _ _ _ _ _ _ _

EBTA   _ _ _ _

OCDRH   _ _ _ _ _

LEFC   _ _ _ _

LFAT   _ _ _ _

ORYMHAN   _ _ _ _ _ _ _

ZAJZ   _ _ _ _

YKE   _ _ _

OJMRA   _ _ _ _ _

UREMESA   _ _ _ _ _ _ _

OEYMLD   _ _ _ _ _ _

COMPUTERS

ONGALA   _ _ _ _ _ _

PABCUK   _ _ _ _ _ _

RSEBWOR   _ _ _ _ _ _ _

AAESDBTA   _ _ _ _ _ _ _ _

OSPTKED   _ _ _ _ _ _ _

TGLDIAI   _ _ _ _ _ _ _

WOLODAND   _ _ _ _ _ _ _ _

TCNNEYIOPR   _ _ _ _ _ _ _ _ _ _

ELIF   _ _ _ _

IEAWLFRL   _ _ _ _ _ _ _ _

SFLAH ERVDI   _ _ _ _ _ _ _ _ _ _

IYABGTEG   _ _ _ _ _ _ _ _

Puzzle #3
BOATS

RAOCNH

_ _ _ _ _ _

ITLAPEBSTH

_ _ _ _ _ _ _ _ _ _

UYOB

_ _ _ _

NOEAC

_ _ _ _ _

AINAPCT

_ _ _ _ _ _ _

ISECUR

_ _ _ _ _ _

EDKC

_ _ _ _

ODCK

_ _ _ _

RYFRE

_ _ _ _ _

LAGYEL

_ _ _ _ _ _

EMHL

_ _ _ _

LLHU

_ _ _ _

Puzzle #4
BREADS

YER   _ _ _

MPUIKPLENRCE   _ _ _ _ _ _ _ _ _ _ _

ETIHW   _ _ _ _ _

RBEAUMHRG UNB   _ _ _ _ _ _ _ _ _ _ _

TEAHW   _ _ _ _ _

GEBLA   _ _ _ _ _

TTTBAEGEU   _ _ _ _ _ _ _ _

LTOARLTI   _ _ _ _ _ _ _ _

LLSRO   _ _ _ _ _

URTTEB   _ _ _ _ _ _

GAWDOOD   _ _ _ _ _ _ _

NREHFC   _ _ _ _ _ _

Puzzle #5
ROADS

UAENEV   _ _ _ _ _ _

DAEVRLBOU   _ _ _ _ _ _ _ _ _

UACAYEWS   _ _ _ _ _ _ _ _

ECRICL   _ _ _ _ _ _

IEVDR   _ _ _ _ _

SPWASYEEXR   _ _ _ _ _ _ _ _ _ _

YEEFWRA   _ _ _ _ _ _ _

YHWGAIH   _ _ _ _ _ _ _

NEECIOIRSTNT   _ _ _ _ _ _ _ _ _ _ _

EVOAPRSS   _ _ _ _ _ _ _ _

AYPKARW   _ _ _ _ _ _ _

ETRSTE   _ _ _ _ _ _

Puzzle #6
PLANTS

CNAOR   _ _ _ _ _

OMOBBA   _ _ _ _ _ _

YERRB   _ _ _ _ _

AYTBNO   _ _ _ _ _ _

DBU   _ _ _

UBBL   _ _ _ _

HUSB   _ _ _ _

SACCTU   _ _ _ _ _ _

ECRLVO   _ _ _ _ _ _

OENC   _ _ _ _

RNEVEGREE   _ _ _ _ _ _ _ _ _

EFRN   _ _ _ _

Puzzle #7

MUSIC CLASS

EAORLLG　　　　　　_ _ _ _ _ _ _

RPGIAOGE　　　　　_ _ _ _ _ _ _ _

AEBT　　　　　　　_ _ _ _

ORDHC　　　　　　_ _ _ _ _

ELCF　　　　　　　_ _ _ _

LFTA　　　　　　　_ _ _ _

MHNYARO　　　　　_ _ _ _ _ _ _

ZAZJ　　　　　　　_ _ _ _

YKE　　　　　　　_ _ _

AJOMR　　　　　　_ _ _ _ _

ESRUEMA　　　　　_ _ _ _ _ _ _

OELMDY　　　　　_ _ _ _ _ _

Puzzle #8
LIQUOR DRINKS

TIIMRNA

_ _ _ _ _ _ _

EAPC ECRDDO

_ _ _ _ _ _ _ _ _ _ _

SCOOM

_ _ _ _ _

YBA ZBEREE

_ _ _ _ _ _ _ _ _ _

LIEGTM

_ _ _ _ _ _

MOENL PDRO

_ _ _ _ _ _ _ _ _ _

ING INONREG

_ _ _ _ _ _ _ _ _ _

CAAESZR

_ _ _ _ _ _ _

TNIM EPJLU

_ _ _ _ _ _ _ _ _ _

CISARED

_ _ _ _ _ _ _

OCWSMO EULM

_ _ _ _ _ _ _ _ _ _ _

RUSSNIE

_ _ _ _ _ _ _

Puzzle #9
MONEY

CANBALE

_ _ _ _ _ _ _

NAKB

_ _ _ _

RKUACYBNTP

_ _ _ _ _ _ _ _ _ _

ILBL

_ _ _ _

DTUBEG

_ _ _ _ _ _

HACS

_ _ _ _

NECT

_ _ _ _

NYRRECCU

_ _ _ _ _ _ _ _

ETDB

_ _ _ _

TIODEPS

_ _ _ _ _ _ _

EIMD

_ _ _ _

ARLDLO

_ _ _ _ _ _

ROUND THINGS

RCILCE   _ _ _ _ _ _

LBAL   _ _ _ _

EOANRG   _ _ _ _ _ _

UKCP   _ _ _ _

KEEST   _ _ _ _ _

LELBYAE   _ _ _ _ _ _ _

TUONBT   _ _ _ _ _ _

MLUP   _ _ _ _

VIARAC   _ _ _ _ _ _

GEG KOYL   _ _ _ _ _ _ _ _

LCKCO   _ _ _ _ _

NSU   _ _ _

Puzzle #11
OUTER SPACE

ETPLAN   _ _ _ _ _ _

RSAT   _ _ _ _

YAGLXA   _ _ _ _ _ _

ENALBU   _ _ _ _ _ _

ABCKL EOHL   _ _ _ _ _ _ _ _ _

UVMACU   _ _ _ _ _ _

THLGI AYRE   _ _ _ _ _ _ _ _ _

RGAVTIY   _ _ _ _ _ _ _

TEOCM   _ _ _ _ _

SDIOERTA   _ _ _ _ _ _ _ _

TADAOIRNI   _ _ _ _ _ _ _ _ _

RAPUEVSON   _ _ _ _ _ _ _ _ _

Puzzle #12
ROADS

UAEVEN

_ _ _ _ _ _

VAORUEBLD

_ _ _ _ _ _ _ _ _

WUAASYEC

_ _ _ _ _ _ _ _

ERLICC

_ _ _ _ _ _

EDIRV

_ _ _ _ _

XASEYWEPRS

_ _ _ _ _ _ _ _ _ _

EEYWFAR

_ _ _ _ _ _ _

AHIHWYG

_ _ _ _ _ _ _

NCIENSTERITO

_ _ _ _ _ _ _ _ _ _ _ _

APSVROSE

_ _ _ _ _ _ _ _

KRYPAWA

_ _ _ _ _ _ _

RETTES

_ _ _ _ _ _

Puzzle #13
BOARD GAMES

HSCSE

_ _ _ _ _

AABMNMGOKC

_ _ _ _ _ _ _ _ _ _

HCSRECKE

_ _ _ _ _ _ _ _

SHIPTTEABL

_ _ _ _ _ _ _ _ _ _

FIEL

_ _ _ _

BSEBACRL

_ _ _ _ _ _ _ _

OPNYOLOM

_ _ _ _ _ _ _

KISR

_ _ _ _

UCEL

_ _ _ _

EANJG

_ _ _ _ _

LITIVRA UISURPT

_ _ _ _ _ _ _ _ _ _ _

EWITTSR

_ _ _ _ _ _ _

JOBS

NACTANTUOC   _ _ _ _ _ _ _ _ _ _

TORCA   _ _ _ _ _

TRAITS   _ _ _ _ _ _

TETEHLA   _ _ _ _ _ _ _

AKERB   _ _ _ _ _

ARBKNE   _ _ _ _ _ _

IOTGBSLOI   _ _ _ _ _ _ _ _ _

TUCERHB   _ _ _ _ _ _ _

NACETEPRR   _ _ _ _ _ _ _ _ _

EHFC   _ _ _ _

TCASNDIOU   _ _ _ _ _ _ _ _ _

TIDNTSE   _ _ _ _ _ _ _

Puzzle #15
RESTAURANT

EPTIPAEZR

_ _ _ _ _ _ _ _ _

EEFB

_ _ _ _

RVEEBEGA

_ _ _ _ _ _ _ _

ILBL

_ _ _ _

IBEODL

_ _ _ _ _ _

REDIASB

_ _ _ _ _ _ _

DRBEA

_ _ _ _ _

ESTARAKBF

_ _ _ _ _ _ _ _ _

NBRUHC

_ _ _ _ _ _

HCEF

_ _ _ _

IKECCHN

_ _ _ _ _ _ _

ENCTODNIMS

_ _ _ _ _ _ _ _ _ _

Puzzle #16
COFFEE

AOERDST

_ _ _ _ _ _ _

EBRW

_ _ _ _

IMABCUONL

_ _ _ _ _ _ _ _ _

AEYNK

_ _ _ _ _

FACED

_ _ _ _ _

CRKSSATUB

_ _ _ _ _ _ _ _ _

UNNDKI STOUND

_ _ _ _ _ _ _ _ _ _ _

ERCALRTPOO

_ _ _ _ _ _ _ _ _ _

OCEEFF TPO

_ _ _ _ _ _ _ _ _ _

RIPD

_ _ _ _

RCNHEF ESSRP

_ _ _ _ _ _ _ _ _ _ _

SEPESSOR

_ _ _ _ _ _ _ _

Puzzle #1
MUSIC CLASS

GRALELO	=	ALLEGRO
IEARGPOG	=	ARPEGGIO
EBTA	=	BEAT
OCDRH	=	CHORD
LEFC	=	CLEF
LFAT	=	FLAT
ORYMHAN	=	HARMONY
ZAJZ	=	JAZZ
YKE	=	KEY
OJMRA	=	MAJOR
UREMESA	=	MEASURE
OEYMLD	=	MELODY

COMPUTERS

ONGALA	=	ANALOG
PABCUK	=	BACKUP
RSEBWOR	=	BROWSER
AAESDBTA	=	DATABASE
OSPTKED	=	DESKTOP
TGLDIAI	=	DIGITAL
WOLODAND	=	DOWNLOAD
TCNNEYIOPR	=	ENCRYPTION
ELIF	=	FILE
IEAWLFRL	=	FIREWALL
SFLAH ERVDI	=	FLASH DRIVE
IYABGTEG	=	GIGABYTE

Puzzle #3
BOATS

RAOCNH = ANCHOR

ITLAPEBSTH = BATTLESHIP

UYOB = BUOY

NOEAC = CANOE

AINAPCT = CAPTAIN

ISECUR = CRUISE

EDKC = DECK

ODCK = DOCK

RYFRE = FERRY

LAGYEL = GALLEY

EMHL = HELM

LLHU = HULL

Puzzle #4
BREADS

YER	=	RYE
MPUIKPLENRCE	=	PUMPERNICKEL
ETIHW	=	WHITE
RBEAUMHRG UNB	=	HAMBURGER BUN
TEAHW	=	WHEAT
GEBLA	=	BAGEL
TTTBAEGEU	=	BAGUETTTE
LTOARLTI	=	TORTILLA
LLSRO	=	ROLLS
URTTEB	=	BUTTER
GAWDOOD	=	DAGWOOD
NREHFC	=	FRENCH

Puzzle #5
ROADS

UAENEV	=	AVENUE
DAEVRLBOU	=	BOULEVARD
UACAYEWS	=	CAUSEWAY
ECRICL	=	CIRCLE
IEVDR	=	DRIVE
SPWASYEEXR	=	EXPRESSWAY
YEEFWRA	=	FREEWAY
YHWGAIH	=	HIGHWAY
NEECIOIRSTNT	=	INTERSECTION
EVOAPRSS	=	OVERPASS
AYPKARW	=	PARKWAY
ETRSTE	=	STREET

Puzzle #6

PLANTS

CNAOR	=	ACORN
OMOBBA	=	BAMBOO
YERRB	=	BERRY
AYTBNO	=	BOTANY
DBU	=	BUD
UBBL	=	BULB
HUSB	=	BUSH
SACCTU	=	CACTUS
ECRLVO	=	CLOVER
OENC	=	CONE
RNEVEGREE	=	EVERGREEN
EFRN	=	FERN

Puzzle #7
MUSIC CLASS

EAORLLG	=	ALLEGRO
RPGIAOGE	=	ARPEGGIO
AEBT	=	BEAT
ORDHC	=	CHORD
ELCF	=	CLEF
LFTA	=	FLAT
MHNYARO	=	HARMONY
ZAZJ	=	JAZZ
YKE	=	KEY
AJOMR	=	MAJOR
ESRUEMA	=	MEASURE
OELMDY	=	MELODY

Puzzle #8
LIQUOR DRINKS

TIIMRNA	=	MARTINI
EAPC ECRDDO	=	CAPE CODDER
SCOOM	=	COSMO
YBA ZBEREE	=	BAY BREEZE
LIEGTM	=	GIMLET
MOENL PDRO	=	LEMON DROP
ING INONREG	=	GIN NEGRONI
CAAESZR	=	SAZERAC
TNIM EPJLU	=	MINT JULEP
CISARED	=	SIDECAR
OCWSMO EULM	=	MOSCOW MULE
RUSSNIE	=	SUNRISE

Puzzle #9
MONEY

CANBALE = BALANCE

NAKB = BANK

RKUACYBNTP = BANKRUPTCY

ILBL = BILL

DTUBEG = BUDGET

HACS = CASH

NECT = CENT

NYRRECCU = CURRENCY

ETDB = DEBT

TIODEPS = DEPOSIT

EIMD = DIME

ARLDLO = DOLLAR

Puzzle #10

ROUND THINGS

RCILCE	=	CIRCLE
LBAL	=	BALL
EOANRG	=	ORANGE
UKCP	=	PUCK
KEEST	=	SKEET
LELBYAE	=	EYEBALL
TUONBT	=	BUTTON
MLUP	=	PLUM
VIARAC	=	CAVIAR
GEG KOYL	=	EGG YOLK
LCKCO	=	CLOCK
NSU	=	SUN

OUTER SPACE

ETPLAN	=	PLANET
RSAT	=	STAR
YAGLXA	=	GALAXY
ENALBU	=	NEBULA
ABCKL EOHL	=	BLACK HOLE
UVMACU	=	VACUUM
THLGI AYRE	=	LIGHT YEAR
RGAVTIY	=	GRAVITY
TEOCM	=	COMET
SDIOERTA	=	ASTEROID
TADAOIRNI	=	RADIATION
RAPUEVSON	=	SUPERNOVA

Puzzle #12

ROADS

UAEVEN	=	AVENUE
VAORUEBLD	=	BOULEVARD
WUAASYEC	=	CAUSEWAY
ERLICC	=	CIRCLE
EDIRV	=	DRIVE
XASEYWEPRS	=	EXPRESSWAY
EEYWFAR	=	FREEWAY
AHIHWYG	=	HIGHWAY
NCIENSTERITO	=	INTERSECTION
APSVROSE	=	OVERPASS
KRYPAWA	=	PARKWAY
RETTES	=	STREET

Puzzle #13
BOARD GAMES

HSCSE	=	CHESS
AABMNMGOKC	=	BACKGAMMON
HCSRECKE	=	CHECKERS
SHIPTTEABL	=	BATTLESHIP
FIEL	=	LIFE
BSEBACRL	=	SCRABBLE
OPNYOLOM	=	MONOPOLY
KISR	=	RISK
UCEL	=	CLUE
EANJG	=	JENGA
LITIVRA UISURPT	=	TRIVIAL PURSUIT
EWITTSR	=	TWISTER

Puzzle #14
JOBS

NACTANTUOC	=	ACCOUNTANT
TORCA	=	ACTOR
TRAITS	=	ARTIST
TETEHLA	=	ATHLETE
AKERB	=	BAKER
ARBKNE	=	BANKER
IOTGBSLOI	=	BIOLOGIST
TUCERHB	=	BUTCHER
NACETEPRR	=	CARPENTER
EHFC	=	CHEF
TCASNDIOU	=	CUSTODIAN
TIDNTSE	=	DENTIST

Puzzle #15
RESTAURANT

EPTIPAEZR	=	APPETIZER
EEFB	=	BEEF
RVEEBEGA	=	BEVERAGE
ILBL	=	BILL
IBEODL	=	BOILED
REDIASB	=	BRAISED
DRBEA	=	BREAD
ESTARAKBF	=	BREAKFAST
NBRUHC	=	BRUNCH
HCEF	=	CHEF
IKECCHN	=	CHICKEN
ENCTODNIMS	=	CONDIMENTS

Puzzle #16
COFFEE

AOERDST	=	ROASTED
EBRW	=	BREW
IMABCUONL	=	COLUMBIAN
AEYNK	=	KENYA
FACED	=	DECAF
CRKSSATUB	=	STARBUCKS
UNNDKI STOUND	=	DUNKIN DONUTS
ERCALRTPOO	=	PERCOLATOR
OCEEFF TPO	=	COFFEE POT
RIPD	=	DRIP
RCNHEF ESSRP	=	FRENCH PRESS
SEPESSOR	=	ESPRESSO

Puzzle #1

MEDIUM

		7		4				2
1				3				6
			6	9		8	7	
8	6				7			
2	4	1	9				6	
7		6		2		1		
	2					3	9	8
		9	4		8	6		7

Puzzle #2

MEDIUM

6				7		8		2
		9	5	8			4	7
8				1		6	9	
		3					8	
	5				8			1
			9			3		
		6			5	7		
	1	2		9				5
	8			6	3	2		

Puzzle #3
MEDIUM

	2		4	1		7		8
7							5	2
			9		2			
		6	1		8	4	2	3
3	5	1			4	8	6	
						5		7
		8	5		3			
		4	2	8				
			6		1			5

Puzzle #4

MEDIUM

						5		4
		1	7	3			2	
2	7	6	4				3	
9	1			2			4	
			1		6			
		3					1	8
	6	5	2				8	3
3				4			6	
		4	8			1		9

Puzzle #5

MEDIUM

8								9
		5					6	7
	6						3	1
7		4	3				8	
			4		7		2	5
9	1	2			8		7	
1	4			8	6			
2		6	9		1			8
	9			3	2			

Puzzle #6
MEDIUM

3					7		1	
		5	8				2	3
	4	2		1				
	2	3	1		6		8	
		9		5				
	8		2		9	4	5	
	3	7		8	5		9	
	5					7		8
		4	9			2		

Puzzle #7

MEDIUM

	5	7			8			
						9		
2		9	4		6		8	7
	6			9			4	1
7				2			5	6
	4	1		8	7			9
		6	5			3		4
				4	3		9	
	2					1		5

Puzzle #8

MEDIUM

9	3			8	2		5	6
7								
						1	3	
		6	7				9	4
3		2	8	5	9		7	
					6		8	
			1		7			2
2	1			3			6	
	8	7	5	2			1	

Puzzle #9

MEDIUM

		4				7	2	
				3		9	5	
				6	5	8	3	
	6							
4			9					2
5	8	7			1			
1	4		7	5		6		
	3		1		8			7
2		9		4				

Puzzle #10

MEDIUM

		7	2	3				
	2	3	5		7	9		1
						2		
7	1	4						6
	9	5						4
		6				7	3	
4			6		2			
	5		7	1	4	3		2
1			9			4		5

Puzzle #11

MEDIUM

3						9		
6					4			8
9		8						5
7	9				2	1		
		2	1				9	6
		6		4	9	5	7	
5			4	9				
1		3		6				
2		9	5		8			1

Puzzle #12

MEDIUM

1					8			
8	3	2		1	6			
5	6	4	7	3			1	
		1			7		3	9
				5		6	4	
9				6	2		5	1
						4	2	7
							8	3
4	7		8		3			

Puzzle #13

MEDIUM

		2			6		3	9
		3	9				8	
5		9	4		3			
					8		4	
	2			7		8		
1	6		2	9			5	7
8					7	6	2	
		8			2	5		4
	4		6				1	

Puzzle #14

MEDIUM

4			9					
	9		8				5	2
7	6							
9		4				3		5
		1		3		6		
			4	1		2		8
8	1						2	
				2			8	
3	5	2			6			1

Puzzle #15

MEDIUM

	1	9		7		2		
						5		
		3					4	6
9		1	6	3			2	
5	7		2	8	9			
				1				9
	6						1	
	4		7		6	8		3
				4	2	6	5	7

Puzzle #16

MEDIUM

			4	8	2			
	8		9			4	2	
				3		8		
				4		1		
8	3					7	6	9
7		2	3	6				8
	7	8						
		6	8	1		9		4
1	4				5			6

Puzzle #17
MEDIUM

				9		6		
	4	8			2		1	
6						5	7	8
	5		7		8		6	9
				6		4		2
1					5			
		3		7			9	
	7			4	1	8	3	
			2		3		4	5

Puzzle #18

MEDIUM

	7	4	1	5	8		9	6
		5		9	4			
		3			6	4		
3						6	8	
7			9		5			
	9		6	1			5	
				6		8	4	
	2	9	4	7			6	3

Puzzle #19

MEDIUM

	9	7			2	4		8
8		3	1	7	9	6		2
		1					3	
5								
		6	2				8	
9			7	5	8	3		1
3	1		6	2		9		
	5							4

Puzzle #20

MEDIUM

4					9	8		
	9							1
	3			7				
8		9	1	6	7	2	3	
				4		9		
	7	3	9	5				
3	1				8			6
6	5	7	3					
9						7		3

Puzzle #21

MEDIUM

	5			4	7			
				5				2
6				9	2	4		
		4			9	6		5
9		5	2				1	
3			7	1		2		8
	7					5		
	2	9			6	1		
5		6	1	7				

Puzzle #22

MEDIUM

	4			1		3	8	9
	1				9			6
6		2		8	4			
	6					7		3
			7				9	
	7	8		9	5		6	
	5	1	6					
7		6		2			4	8
		9						

Puzzle #23
MEDIUM

	6							4
4	9	2	7					1
8				2	4	7		
				1	9		3	7
		6	3	7	5	9		
		7	4	8				
2		1			3		4	
			8	4	1			
6					7		5	3

Puzzle #24

MEDIUM

2			7					
4	6			5	8			9
		9			3	5	8	
8		5					1	
9					2		6	
1			9				5	4
5			8	2			3	
				3	4		9	
				7		8	2	1

Puzzle #25

MEDIUM

	3		2			9		
5	2		3	8			4	7
			4		5			8
	9		5	4	6	8		
		8						4
4							9	
		9	6		4	5	3	
1		7		5				2
6	5				1			9

Puzzle #26

MEDIUM

	7		9		8			4
8								1
		3			5	8	6	
5		9		6			7	
		2		9	7			5
1	4		2		3			
	2	1		7	9			
		6			1	9		3
	3					1		

Puzzle #27

MEDIUM

6	2				8			
					4	9		8
8	7	9	3				2	5
				7		6	3	
		7			6	5		
	9	6		4	3			
7	3				9			
		1		5			7	6
2				3			5	

Puzzle #28

MEDIUM

		9	7	2		1	8	
		1			6		3	2
	3		8					
				1		8		
		6			9		7	3
	2			6	5			1
5		3	1		8		4	
9			5		4			
8	1			7	2			

Puzzle #29

MEDIUM

9	1	4		8	7		6	
	3			1	2	7		
					6	9	1	
		1	2					
		9		7				
	7					3	8	
						5	7	1
4				5			3	
	9	5	7	3		6	2	

Puzzle #30
MEDIUM

							2	
9	6		7		5			
1	5		2		6			8
							6	3
		6		9				2
5		3	8		1			
2	3			1	4			9
4	7	9					5	6
					7		3	4

Puzzle #31

MEDIUM

6	5	1	4	3	2			
								6
3	9		8				2	5
5					1			7
1			9					
4		7			5		3	
	1			9		6		
		5		1	6			8
	8		7					

Puzzle #32
MEDIUM

2	8		6		9		1	3
7	3				1	8		
								6
4	9		3				8	
		3			4	9		7
8			2					4
1				3	6			
			5	4		1		
5	2						3	9

Puzzle #33
MEDIUM

						2	5	9
	7						1	
5		3			9			
							8	7
	1			5	2	9		
6		8	7	3	1			
3		2		6				5
		1	5		4	3		8
				2	7	4		

Puzzle #34

MEDIUM

		7				6	3	
			7					9
		8	5		3		7	4
4	2		1		9			
			3		5		6	7
7	3				8			
	9			3				
	4				6		1	
6				8		5		3

Puzzle #35

MEDIUM

			7	4	8			2
	8			1			6	
	5			3	6			
4	6	7		2				8
3						6		1
		5			7	2		
			8	5		3	1	
9	4			7				5
			2		1		4	

Puzzle #36

MEDIUM

8		5			7	4		
1				9				8
		4						2
2				7			6	
4		9	6					
					8	2	1	3
5	7	1	2	6			3	
		3		1		7		
9						6		1

Puzzle #37

MEDIUM

			6		3			
7	4		8					
		5		2	7	8		
2				1		9	3	
	3	4		8		6		
		9				7		
	2		9		8			
	8			6		4	1	9
		6	4	7		2	5	

Puzzle #38

MEDIUM

				6		5		
4	6				5		3	
1				4			7	8
5		8			1			6
	7	1	5	8	6			
3			2					
		3	6	1	2		5	7
7	1		3			8		
		4			8			3

Puzzle #39
MEDIUM

1					5		7	3
6	2							
		3		8				
			3					
4	3		9		7	6	1	2
5	6	2	4		8			
2				7	4	3		
		1	2	3			5	
		4				2		8

Puzzle #40

MEDIUM

8	9			1		6		
		2	8	4				
4				5				
7	8	6			4	2	9	5
	5			2	8	1	4	
								8
5			4	8	2			6
1			9				7	
	4		3					

Puzzle #41

MEDIUM

	8	3	1			4		
					2		3	
				7	3			1
8		5	2				6	
9			3	6			1	
		4			1			9
1		6						5
4	3		5	1			8	
				2	4	1	7	

Puzzle #42

MEDIUM

								2
	5				8	7	4	
6	9		2			5		
4			7				5	8
			8		4	6		3
3				5				9
		9	4	8		1		7
	6	1					3	
2		7	9					5

Puzzle #43

MEDIUM

6					2	3	1	
				4		2	8	
				3	1		7	5
	3	6	5	2			9	4
		8	3					
			1		4			3
	2		7		9	6		
9		1	4					8
	6				8		3	

Puzzle #44

MEDIUM

	6	9					3	2
5	3			2			9	
		7			8			
		6			2	4		9
					4		8	6
4	7		6	5		2		3
		3						
		5	4	9	7			
1		2		8		7		4

Puzzle #45

MEDIUM

7	5		4				1	
1						4		2
		3	7					
				8	4	6		
	4	5	2	9			3	
			3			8		
2	7					5		
	9		8		5	7	6	
5		8	9		1			3

Puzzle #46

MEDIUM

	2	8						
	1		8	7			9	6
		5	4	3	9	1		
6			2	1				
				4	5			7
4				9				5
2	7		1		6	8		9
					7	6	5	
	8		9		4			

Puzzle #47

MEDIUM

	1	8		2		5	4	
		3	1		7			
			4	5				
	3	2	7				8	
		6						7
		4	6	1			2	
8			2			9	6	
	2	1		7		8	3	
3				6			7	2

Puzzle #48

MEDIUM

	9					4		6
				1		7		
	4	7	6		5	9		
9			5		3			
		5	1	9				
		2			7		6	
	3		4				2	5
1		6	2			3	7	4
				3	1		9	

Puzzle #49

MEDIUM

	2		6				8	4
		6		7		3	5	
	7			5		1		
		3	2					1
					8	5	9	
8					5	2	3	7
1			9		7			
	9	8	3	1	6			

Puzzle #50
MEDIUM

	2						8	1
		5		8			3	
	8	7	9	4	3			
6		1	2	3		4	7	8
		8						
		9		1	5		6	
		6	3	2	1			
			5			6		2
			6		8		9	

Puzzle #51
MEDIUM

2						8		
9		6	8	3	1			5
	5					9		6
	6					3		
1			7		3	6	4	
	9	3	4		5		8	
6		1			2			
	3		5			4		
			6	8	9		7	3

Puzzle #52

MEDIUM

		4	1	9				
		7			4	9	1	
		9		2		8	4	6
9		8			1			
6					5			8
		5		6	8		2	9
2			3				8	
		1				3		
		3	4		6			5

Puzzle #53

MEDIUM

4			5	3				7
	3	9		1	4	5		
	5		6		8	2		3
	8	2	9					
			8					
7		3	1				9	
5	7				1			
3	2	6						5
8					7	4	6	2

Puzzle #54

MEDIUM

	6	4		7		1		5
	2			1		4	8	3
		5				2		
			1	4	9	3		
2							5	
6				2		7		
1			9	6	4	5		
		7	2		3		1	
		6		8	1			

Puzzle #55

MEDIUM

8	6		3		5	2	1	
5		2			4	8	3	
		9				4		
2		3	4			7		
	9		5		2			
	4			7	8			
		7	6			3	8	
9					3			6
				8			5	4

Puzzle #56
MEDIUM

5	1	4						3
8					3	6		
	6				5		9	1
				9		5	1	
		8		3			7	4
			7		1			9
	2							
	5		6		4			8
	8		9	5			4	7

Puzzle #57
MEDIUM

6				8	3				
2				9	7	6	1		
	8	7					3		2
8		6				4				
		2						8	5	
	5							2		
7	4			6						
					5	2		9	4	7
	2	1		4						8

Puzzle #58
MEDIUM

	5		9			7		
6	3	2	8					9
1					2		6	
		6		7	1	9		
5		4				8		
	1			5		4		
8	7					6	9	
			6		5			
						2	5	3

Puzzle #59

MEDIUM

	5							
2					3	1	7	9
			6	9	8			
	8			3	7	2	6	4
1	4	7						
		6	5			7		
	3				6	5		
	7	5			4	6		
6		1		7			3	

Puzzle #60

MEDIUM

8					4			
	4		2	6			9	
	6	1		8		4		5
		9						
3		2	5				4	
		6	3	2			8	1
9	1	5				6	3	
			1				2	
		4				1	5	9

Puzzle # 1

6	3	7	8	4	5	9	1	2
1	9	8	7	3	2	5	4	6
4	5	2	6	9	1	8	7	3
8	6	5	2	1	7	4	3	9
2	4	1	9	8	3	7	6	5
9	7	3	5	6	4	2	8	1
7	8	6	3	2	9	1	5	4
5	2	4	1	7	6	3	9	8
3	1	9	4	5	8	6	2	7

Puzzle # 2

6	4	1	3	7	9	8	5	2
2	3	9	5	8	6	1	4	7
8	7	5	2	1	4	6	9	3
9	2	3	7	4	1	5	8	6
7	5	4	6	3	8	9	2	1
1	6	8	9	5	2	3	7	4
4	9	6	1	2	5	7	3	8
3	1	2	8	9	7	4	6	5
5	8	7	4	6	3	2	1	9

Puzzle # 3

6	2	3	4	1	5	7	9	8
7	4	9	8	3	6	1	5	2
8	1	5	9	7	2	3	4	6
9	7	6	1	5	8	4	2	3
3	5	1	7	2	4	8	6	9
4	8	2	3	6	9	5	1	7
1	6	8	5	9	3	2	7	4
5	9	4	2	8	7	6	3	1
2	3	7	6	4	1	9	8	5

Puzzle # 4

8	3	9	6	1	2	5	7	4
5	4	1	7	3	9	8	2	6
2	7	6	4	8	5	9	3	1
9	1	7	3	2	8	6	4	5
4	8	2	1	5	6	3	9	7
6	5	3	9	7	4	2	1	8
1	6	5	2	9	7	4	8	3
3	9	8	5	4	1	7	6	2
7	2	4	8	6	3	1	5	9

Puzzle # 5

8	7	1	2	6	3	5	4	9
3	2	5	1	9	4	8	6	7
4	6	9	8	7	5	2	3	1
7	5	4	3	2	9	1	8	6
6	8	3	4	1	7	9	2	5
9	1	2	6	5	8	4	7	3
1	4	7	5	8	6	3	9	2
2	3	6	9	4	1	7	5	8
5	9	8	7	3	2	6	1	4

Puzzle # 6

3	9	8	6	2	7	5	1	4
1	7	5	8	9	4	6	2	3
6	4	2	5	1	3	8	7	9
5	2	3	1	4	6	9	8	7
4	1	9	7	5	8	3	6	2
7	8	6	2	3	9	4	5	1
2	3	7	4	8	5	1	9	6
9	5	1	3	6	2	7	4	8
8	6	4	9	7	1	2	3	5

Puzzle # 7

6	5	7	9	3	8	4	1	2
4	1	8	7	5	2	9	6	3
2	3	9	4	1	6	5	8	7
8	6	2	3	9	5	7	4	1
7	9	3	1	2	4	8	5	6
5	4	1	6	8	7	2	3	9
9	8	6	5	7	1	3	2	4
1	7	5	2	4	3	6	9	8
3	2	4	8	6	9	1	7	5

Puzzle # 8

9	3	1	4	8	2	7	5	6
7	6	5	3	9	1	4	2	8
4	2	8	6	7	5	1	3	9
8	5	6	7	1	3	2	9	4
3	4	2	8	5	9	6	7	1
1	7	9	2	4	6	3	8	5
5	9	3	1	6	7	8	4	2
2	1	4	9	3	8	5	6	7
6	8	7	5	2	4	9	1	3

Puzzle # 9

3	5	4	8	1	9	7	2	6
8	2	6	4	3	7	9	5	1
7	9	1	2	6	5	8	3	4
9	6	2	5	7	4	3	1	8
4	1	3	9	8	6	5	7	2
5	8	7	3	2	1	4	6	9
1	4	8	7	5	2	6	9	3
6	3	5	1	9	8	2	4	7
2	7	9	6	4	3	1	8	5

Puzzle # 10

9	4	7	2	3	1	6	5	8
8	2	3	5	6	7	9	4	1
5	6	1	4	9	8	2	7	3
7	1	4	3	2	9	5	8	6
3	9	5	8	7	6	1	2	4
2	8	6	1	4	5	7	3	9
4	3	9	6	5	2	8	1	7
6	5	8	7	1	4	3	9	2
1	7	2	9	8	3	4	6	5

Puzzle # 11

3	5	4	8	2	6	9	1	7
6	7	1	9	5	4	3	2	8
9	2	8	7	1	3	6	4	5
7	9	5	6	8	2	1	3	4
4	3	2	1	7	5	8	9	6
8	1	6	3	4	9	5	7	2
5	6	7	4	9	1	2	8	3
1	8	3	2	6	7	4	5	9
2	4	9	5	3	8	7	6	1

Puzzle # 12

1	9	7	2	4	8	3	6	5
8	3	2	5	1	6	9	7	4
5	6	4	7	3	9	8	1	2
6	5	1	4	8	7	2	3	9
7	2	3	9	5	1	6	4	8
9	4	8	3	6	2	7	5	1
3	8	6	1	9	5	4	2	7
2	1	9	6	7	4	5	8	3
4	7	5	8	2	3	1	9	6

Puzzles Book with Solutions Super Collection VOL 4

Puzzle # 13

4	8	2	7	5	6	1	3	9
6	7	3	9	2	1	4	8	5
5	1	9	4	8	3	2	7	6
3	5	7	1	6	8	9	4	2
9	2	4	3	7	5	8	6	1
1	6	8	2	9	4	3	5	7
8	9	1	5	4	7	6	2	3
7	3	6	8	1	2	5	9	4
2	4	5	6	3	9	7	1	8

Puzzle # 14

4	2	8	9	5	3	1	6	7
1	9	3	8	6	7	4	5	2
7	6	5	2	4	1	8	3	9
9	8	4	6	7	2	3	1	5
2	7	1	5	3	8	6	9	4
5	3	6	4	1	9	2	7	8
8	1	7	3	9	4	5	2	6
6	4	9	1	2	5	7	8	3
3	5	2	7	8	6	9	4	1

Puzzle # 15

6	1	9	4	7	5	2	3	8
2	3	4	9	6	8	5	7	1
8	5	7	3	2	1	9	4	6
9	8	1	6	3	4	7	2	5
5	7	3	2	8	9	1	6	4
4	2	6	5	1	7	3	8	9
7	6	5	8	9	3	4	1	2
1	4	2	7	5	6	8	9	3
3	9	8	1	4	2	6	5	7

Puzzle # 16

5	9	3	4	8	2	6	1	7
6	8	1	9	5	7	4	2	3
4	2	7	1	3	6	8	9	5
9	6	5	7	4	8	1	3	2
8	3	4	5	2	1	7	6	9
7	1	2	3	6	9	5	4	8
3	7	8	6	9	4	2	5	1
2	5	6	8	1	3	9	7	4
1	4	9	2	7	5	3	8	6

Puzzle #   17

3	1	5	8	9	7	6	2	4
7	4	8	6	5	2	9	1	3
6	2	9	3	1	4	5	7	8
2	5	4	7	3	8	1	6	9
8	3	7	1	6	9	4	5	2
1	9	6	4	2	5	3	8	7
4	8	3	5	7	6	2	9	1
5	7	2	9	4	1	8	3	6
9	6	1	2	8	3	7	4	5

Puzzle #   18

2	7	4	1	5	8	3	9	6
6	1	5	3	9	4	7	2	8
9	8	3	7	2	6	4	1	5
3	5	1	2	4	7	6	8	9
7	6	2	9	8	5	1	3	4
4	9	8	6	1	3	2	5	7
1	3	7	5	6	9	8	4	2
8	2	9	4	7	1	5	6	3
5	4	6	8	3	2	9	7	1

Puzzle #   19

1	2	5	8	4	6	7	9	3
6	9	7	5	3	2	4	1	8
8	4	3	1	7	9	6	5	2
2	8	1	4	6	7	5	3	9
5	7	9	3	8	1	2	4	6
4	3	6	2	9	5	1	8	7
9	6	4	7	5	8	3	2	1
3	1	8	6	2	4	9	7	5
7	5	2	9	1	3	8	6	4

Puzzle #   20

4	6	1	5	3	9	8	7	2
7	9	5	2	8	6	3	4	1
2	3	8	4	7	1	5	6	9
8	4	9	1	6	7	2	3	5
5	2	6	8	4	3	9	1	7
1	7	3	9	5	2	6	8	4
3	1	2	7	9	8	4	5	6
6	5	7	3	2	4	1	9	8
9	8	4	6	1	5	7	2	3

Puzzle # 21

2	5	1	3	4	7	8	6	9
4	9	8	6	5	1	3	7	2
6	3	7	8	9	2	4	5	1
7	1	2	4	8	9	6	3	5
9	8	5	2	6	3	7	1	4
3	6	4	7	1	5	2	9	8
1	7	3	9	2	4	5	8	6
8	2	9	5	3	6	1	4	7
5	4	6	1	7	8	9	2	3

Puzzle # 22

5	4	7	2	1	6	3	8	9
8	1	3	5	7	9	4	2	6
6	9	2	3	8	4	1	5	7
9	6	5	8	4	2	7	1	3
1	2	4	7	6	3	8	9	5
3	7	8	1	9	5	2	6	4
4	5	1	6	3	8	9	7	2
7	3	6	9	2	1	5	4	8
2	8	9	4	5	7	6	3	1

Puzzle # 23

7	6	5	1	3	8	2	9	4
4	9	2	7	5	6	3	8	1
8	1	3	9	2	4	7	6	5
5	2	8	6	1	9	4	3	7
1	4	6	3	7	5	9	2	8
9	3	7	4	8	2	5	1	6
2	7	1	5	6	3	8	4	9
3	5	9	8	4	1	6	7	2
6	8	4	2	9	7	1	5	3

Puzzle # 24

2	5	8	7	9	1	6	4	3
4	6	3	2	5	8	1	7	9
7	1	9	4	6	3	5	8	2
8	2	5	3	4	6	9	1	7
9	4	7	5	1	2	3	6	8
1	3	6	9	8	7	2	5	4
5	7	1	8	2	9	4	3	6
6	8	2	1	3	4	7	9	5
3	9	4	6	7	5	8	2	1

Puzzle # 25

8	3	4	2	1	7	9	6	5
5	2	6	3	8	9	1	4	7
9	7	1	4	6	5	3	2	8
7	9	2	5	4	6	8	1	3
3	6	8	1	9	2	7	5	4
4	1	5	7	3	8	2	9	6
2	8	9	6	7	4	5	3	1
1	4	7	9	5	3	6	8	2
6	5	3	8	2	1	4	7	9

Puzzle # 26

6	7	5	9	1	8	2	3	4
8	9	4	6	3	2	7	5	1
2	1	3	7	4	5	8	6	9
5	8	9	1	6	4	3	7	2
3	6	2	8	9	7	4	1	5
1	4	7	2	5	3	6	9	8
4	2	1	3	7	9	5	8	6
7	5	6	4	8	1	9	2	3
9	3	8	5	2	6	1	4	7

Puzzle # 27

6	2	4	5	9	8	7	1	3
1	5	3	7	2	4	9	6	8
8	7	9	3	6	1	4	2	5
4	8	2	9	7	5	6	3	1
3	1	7	2	8	6	5	9	4
5	9	6	1	4	3	2	8	7
7	3	5	6	1	9	8	4	2
9	4	1	8	5	2	3	7	6
2	6	8	4	3	7	1	5	9

Puzzle # 28

6	5	9	7	2	3	1	8	4
4	8	1	9	5	6	7	3	2
2	3	7	8	4	1	9	6	5
3	9	5	4	1	7	8	2	6
1	4	6	2	8	9	5	7	3
7	2	8	3	6	5	4	9	1
5	6	3	1	9	8	2	4	7
9	7	2	5	3	4	6	1	8
8	1	4	6	7	2	3	5	9

Puzzle # 29

9	1	4	5	8	7	2	6	3
6	3	8	9	1	2	7	4	5
7	5	2	3	4	6	9	1	8
3	8	1	2	6	5	4	9	7
2	4	9	8	7	3	1	5	6
5	7	6	1	9	4	3	8	2
8	6	3	4	2	9	5	7	1
4	2	7	6	5	1	8	3	9
1	9	5	7	3	8	6	2	4

Puzzle # 30

3	8	7	1	4	9	6	2	5
9	6	2	7	8	5	3	4	1
1	5	4	2	3	6	9	7	8
8	9	1	4	7	2	5	6	3
7	4	6	5	9	3	8	1	2
5	2	3	8	6	1	4	9	7
2	3	5	6	1	4	7	8	9
4	7	9	3	2	8	1	5	6
6	1	8	9	5	7	2	3	4

Puzzle # 31

6	5	1	4	3	2	7	8	9
8	7	2	1	5	9	3	4	6
3	9	4	8	6	7	1	2	5
5	3	9	2	4	1	8	6	7
1	6	8	9	7	3	4	5	2
4	2	7	6	8	5	9	3	1
2	1	3	5	9	8	6	7	4
7	4	5	3	1	6	2	9	8
9	8	6	7	2	4	5	1	3

Puzzle # 32

2	8	5	6	7	9	4	1	3
7	3	6	4	5	1	8	9	2
9	4	1	8	2	3	7	5	6
4	9	2	3	6	7	5	8	1
6	5	3	1	8	4	9	2	7
8	1	7	2	9	5	3	6	4
1	7	8	9	3	6	2	4	5
3	6	9	5	4	2	1	7	8
5	2	4	7	1	8	6	3	9

Puzzle # 33

1	8	6	4	7	3	2	5	9
9	7	4	2	8	5	6	1	3
5	2	3	6	1	9	8	7	4
2	3	5	9	4	6	1	8	7
4	1	7	8	5	2	9	3	6
6	9	8	7	3	1	5	4	2
3	4	2	1	6	8	7	9	5
7	6	1	5	9	4	3	2	8
8	5	9	3	2	7	4	6	1

Puzzle # 34

2	1	7	8	9	4	6	3	5
3	5	4	7	6	2	1	8	9
9	6	8	5	1	3	2	7	4
4	2	6	1	7	9	3	5	8
1	8	9	3	2	5	4	6	7
7	3	5	6	4	8	9	2	1
5	9	1	2	3	7	8	4	6
8	4	3	9	5	6	7	1	2
6	7	2	4	8	1	5	9	3

Puzzle # 35

6	9	3	7	4	8	1	5	2
7	8	4	5	1	2	9	6	3
1	5	2	9	3	6	4	8	7
4	6	7	1	2	9	5	3	8
3	2	9	4	8	5	6	7	1
8	1	5	3	6	7	2	9	4
2	7	6	8	5	4	3	1	9
9	4	1	6	7	3	8	2	5
5	3	8	2	9	1	7	4	6

Puzzle # 36

8	2	5	1	3	7	4	9	6
1	6	4	5	9	2	3	7	8
3	9	7	4	8	6	1	5	2
2	1	8	3	7	5	9	6	4
4	3	9	6	2	1	5	8	7
7	5	6	9	4	8	2	1	3
5	7	1	2	6	4	8	3	9
6	4	3	8	1	9	7	2	5
9	8	2	7	5	3	6	4	1

Puzzle # 37

8	1	2	6	4	3	5	9	7
7	4	3	8	9	5	1	6	2
9	6	5	1	2	7	8	4	3
2	7	8	5	1	6	9	3	4
1	3	4	7	8	9	6	2	5
6	5	9	2	3	4	7	8	1
4	2	1	9	5	8	3	7	6
5	8	7	3	6	2	4	1	9
3	9	6	4	7	1	2	5	8

Puzzle # 38

8	3	9	1	6	7	5	4	2
4	6	7	8	2	5	9	3	1
1	2	5	9	4	3	6	7	8
5	9	8	4	3	1	7	2	6
2	7	1	5	8	6	3	9	4
3	4	6	2	7	9	1	8	5
9	8	3	6	1	2	4	5	7
7	1	2	3	5	4	8	6	9
6	5	4	7	9	8	2	1	3

Puzzle # 39

1	8	9	6	2	5	4	7	3
6	2	5	7	4	3	1	8	9
7	4	3	1	8	9	5	2	6
9	1	7	3	6	2	8	4	5
4	3	8	9	5	7	6	1	2
5	6	2	4	1	8	9	3	7
2	5	6	8	7	4	3	9	1
8	9	1	2	3	6	7	5	4
3	7	4	5	9	1	2	6	8

Puzzle # 40

8	9	5	7	1	3	6	2	4
3	6	2	8	4	9	7	5	1
4	7	1	2	5	6	8	3	9
7	8	6	1	3	4	2	9	5
9	5	3	6	2	8	1	4	7
2	1	4	5	9	7	3	6	8
5	3	7	4	8	2	9	1	6
1	2	8	9	6	5	4	7	3
6	4	9	3	7	1	5	8	2

Puzzle # 41

7	8	3	1	5	6	4	9	2
6	5	1	4	9	2	7	3	8
2	4	9	8	7	3	6	5	1
8	1	5	2	4	9	3	6	7
9	2	7	3	6	5	8	1	4
3	6	4	7	8	1	5	2	9
1	7	6	9	3	8	2	4	5
4	3	2	5	1	7	9	8	6
5	9	8	6	2	4	1	7	3

Puzzle # 42

7	8	4	1	6	5	3	9	2
1	5	2	3	9	8	7	4	6
6	9	3	2	4	7	5	8	1
4	1	6	7	3	9	2	5	8
9	7	5	8	2	4	6	1	3
3	2	8	6	5	1	4	7	9
5	3	9	4	8	6	1	2	7
8	6	1	5	7	2	9	3	4
2	4	7	9	1	3	8	6	5

Puzzle # 43

6	5	4	8	7	2	3	1	9
3	1	7	9	4	5	2	8	6
2	8	9	6	3	1	4	7	5
1	3	6	5	2	7	8	9	4
7	4	8	3	9	6	1	5	2
5	9	2	1	8	4	7	6	3
8	2	3	7	5	9	6	4	1
9	7	1	4	6	3	5	2	8
4	6	5	2	1	8	9	3	7

Puzzle # 44

8	6	9	7	4	5	1	3	2
5	3	4	1	2	6	8	9	7
2	1	7	9	3	8	6	4	5
3	5	6	8	1	2	4	7	9
9	2	1	3	7	4	5	8	6
4	7	8	6	5	9	2	1	3
7	4	3	2	6	1	9	5	8
6	8	5	4	9	7	3	2	1
1	9	2	5	8	3	7	6	4

Puzzle # 45

7	5	9	4	6	2	3	1	8
1	8	6	5	3	9	4	7	2
4	2	3	7	1	8	9	5	6
9	3	7	1	8	4	6	2	5
8	4	5	2	9	6	1	3	7
6	1	2	3	5	7	8	9	4
2	7	1	6	4	3	5	8	9
3	9	4	8	2	5	7	6	1
5	6	8	9	7	1	2	4	3

Puzzle # 46

9	2	8	5	6	1	4	7	3
3	1	4	8	7	2	5	9	6
7	6	5	4	3	9	1	2	8
6	5	7	2	1	3	9	8	4
8	9	2	6	4	5	3	1	7
4	3	1	7	9	8	2	6	5
2	7	3	1	5	6	8	4	9
1	4	9	3	8	7	6	5	2
5	8	6	9	2	4	7	3	1

Puzzle # 47

7	1	8	9	2	6	5	4	3
4	5	3	1	8	7	2	9	6
2	6	9	4	5	3	7	1	8
9	3	2	7	4	5	6	8	1
1	8	6	3	9	2	4	5	7
5	7	4	6	1	8	3	2	9
8	4	7	2	3	1	9	6	5
6	2	1	5	7	9	8	3	4
3	9	5	8	6	4	1	7	2

Puzzle # 48

2	9	1	3	7	8	4	5	6
6	5	3	9	1	4	7	8	2
8	4	7	6	2	5	9	1	3
9	7	8	5	6	3	2	4	1
4	6	5	1	9	2	8	3	7
3	1	2	8	4	7	5	6	9
7	3	9	4	8	6	1	2	5
1	8	6	2	5	9	3	7	4
5	2	4	7	3	1	6	9	8

Puzzle # 49

5	2	1	6	9	3	7	8	4
9	8	6	4	7	1	3	5	2
3	7	4	8	5	2	1	6	9
7	5	3	2	6	9	8	4	1
4	1	2	7	3	8	5	9	6
8	6	9	1	4	5	2	3	7
1	4	5	9	8	7	6	2	3
6	3	7	5	2	4	9	1	8
2	9	8	3	1	6	4	7	5

Puzzle # 50

3	2	4	7	5	6	9	8	1
9	6	5	1	8	2	7	3	4
1	8	7	9	4	3	5	2	6
6	5	1	2	3	9	4	7	8
2	3	8	4	6	7	1	5	9
7	4	9	8	1	5	2	6	3
5	9	6	3	2	1	8	4	7
8	7	3	5	9	4	6	1	2
4	1	2	6	7	8	3	9	5

Puzzle # 51

2	1	7	9	5	6	8	3	4
9	4	6	8	3	1	7	2	5
3	5	8	2	7	4	9	1	6
4	6	2	1	9	8	3	5	7
1	8	5	7	2	3	6	4	9
7	9	3	4	6	5	2	8	1
6	7	1	3	4	2	5	9	8
8	3	9	5	1	7	4	6	2
5	2	4	6	8	9	1	7	3

Puzzle # 52

8	6	4	1	9	3	5	7	2
5	2	7	6	8	4	9	1	3
1	3	9	5	2	7	8	4	6
9	7	8	2	3	1	6	5	4
6	1	2	9	4	5	7	3	8
3	4	5	7	6	8	1	2	9
2	5	6	3	7	9	4	8	1
4	9	1	8	5	2	3	6	7
7	8	3	4	1	6	2	9	5

Puzzle # 53

4	6	8	5	3	2	9	1	7
2	3	9	7	1	4	5	8	6
1	5	7	6	9	8	2	4	3
6	8	2	9	4	3	7	5	1
9	1	5	8	7	6	3	2	4
7	4	3	1	2	5	6	9	8
5	7	4	2	6	1	8	3	9
3	2	6	4	8	9	1	7	5
8	9	1	3	5	7	4	6	2

Puzzle # 54

8	6	4	3	7	2	1	9	5
7	2	9	5	1	6	4	8	3
3	1	5	4	9	8	2	6	7
5	7	8	1	4	9	3	2	6
2	4	1	6	3	7	8	5	9
6	9	3	8	2	5	7	4	1
1	3	2	9	6	4	5	7	8
9	8	7	2	5	3	6	1	4
4	5	6	7	8	1	9	3	2

Puzzle # 55

8	6	4	3	9	5	2	1	7
5	7	2	1	6	4	8	3	9
1	3	9	8	2	7	4	6	5
2	5	3	4	1	6	7	9	8
7	9	8	5	3	2	6	4	1
6	4	1	9	7	8	5	2	3
4	1	7	6	5	9	3	8	2
9	8	5	2	4	3	1	7	6
3	2	6	7	8	1	9	5	4

Puzzle # 56

5	1	4	2	6	9	7	8	3
8	7	9	1	4	3	6	5	2
2	6	3	8	7	5	4	9	1
7	3	2	4	9	8	5	1	6
1	9	8	5	3	6	2	7	4
6	4	5	7	2	1	8	3	9
4	2	1	3	8	7	9	6	5
9	5	7	6	1	4	3	2	8
3	8	6	9	5	2	1	4	7

Puzzle # 57

6	1	5	2	8	3	4	7	9
2	3	4	9	7	6	1	8	5
9	8	7	4	1	5	3	6	2
8	9	6	5	2	4	7	1	3
4	7	2	3	9	1	8	5	6
1	5	3	8	6	7	2	9	4
7	4	9	6	3	8	5	2	1
3	6	8	1	5	2	9	4	7
5	2	1	7	4	9	6	3	8

Puzzle # 58

4	5	8	9	3	6	7	1	2
6	3	2	8	1	7	5	4	9
1	9	7	5	4	2	3	6	8
3	8	6	4	7	1	9	2	5
5	2	4	3	6	9	8	7	1
7	1	9	2	5	8	4	3	6
8	7	5	1	2	3	6	9	4
2	4	3	6	9	5	1	8	7
9	6	1	7	8	4	2	5	3

Puzzle # 59

9	5	3	7	2	1	8	4	6
2	6	8	4	5	3	1	7	9
7	1	4	6	9	8	3	2	5
5	8	9	1	3	7	2	6	4
1	4	7	8	6	2	9	5	3
3	2	6	5	4	9	7	8	1
4	3	2	9	8	6	5	1	7
8	7	5	3	1	4	6	9	2
6	9	1	2	7	5	4	3	8

Puzzle # 60

8	9	3	7	5	4	2	1	6
5	4	7	2	6	1	8	9	3
2	6	1	9	8	3	4	7	5
1	5	9	8	4	7	3	6	2
3	8	2	5	1	6	9	4	7
4	7	6	3	2	9	5	8	1
9	1	5	4	7	2	6	3	8
6	3	8	1	9	5	7	2	4
7	2	4	6	3	8	1	5	9

HERBS

```
L  B  E  C  O  L  L  I  D  F  E  N  N  E  L
C  I  A  G  H  R  R  E  R  U  E  M  T  E  R
M  I  S  Y  A  I  T  E  G  A  S  I  H  A  O
M  L  L  A  L  R  V  N  D  A  T  N  Y  Z  S
P  A  A  R  B  E  O  E  A  N  V  T  M  A  E
E  A  R  B  A  S  A  B  S  L  E  O  E  A  M
P  O  R  O  N  G  A  F  L  M  I  V  L  C  A
P  W  E  S  J  O  Q  V  I  A  E  C  A  H  R
E  M  U  V  L  R  M  P  O  G  B  I  Z  L  Y
R  L  X  D  D  E  A  E  O  R  E  G  A  N  O
M  K  V  A  G  P  Y  M  L  H  Y  D  G  D  A
I  S  A  L  A  D  B  U  R  N  E  T  F  S  V
N  S  P  E  A  R  M  I  N  T  Q  N  Y  F  D
T  A  R  R  A  G  O  N  O  Y  J  S  I  G  D
U  Y  D  J  G  R  B  I  I  S  V  D  K  Q  V
```

BASIL	LAVENDER	ROSEMARY
BAY LEAF	LEMON BALM	RUE
BORAGE	LOVAGE	SAGE
CHIVES	MARJORAM	SALAD BURNET
CILANTRO	MINT	SAVORY
DILL	OREGANO	SPEARMINT
FENNEL	PARSLEY	TARRAGON
GARLIC	PEPPERMINT	THYME

Puzzle #2

ASH

```
N  E  P  S  A  B  A  O  B  A  B  Z  R  C  S
H  E  R  N  M  U  A  Y  R  I  O  A  H  H  A
E  C  L  A  D  T  N  S  R  I  R  A  H  E  S
Y  N  E  M  D  T  U  R  S  R  F  C  K  S  S
H  N  I  E  X  E  Y  D  O  W  E  O  H  T  A
D  O  C  P  B  R  C  U  R  H  O  H  E  N  F
C  O  T  T  O  N  W  O  O  D  T  O  C  U  R
H  H  O  E  E  U  M  A  P  L  E  W  D  T  A
W  I  C  W  R  T  S  P  R  U  C  E  A  X  S
O  I  C  R  D  O  T  U  N  L  A  W  C  H  K
O  S  L  K  A  E  M  Y  W  P  V  D  U  S  D
J  N  L  L  O  L  R  A  L  K  T  O  W  O  G
M  Q  D  N  O  R  F  T  C  K  B  U  W  Z  Y
O  F  H  J  Y  W  Y  A  A  Y  D  P  T  V  E
W  Y  C  H  N  J  C  C  G  R  S  W  R  T  L
```

ASPEN	CHESTNUT	OAK
BAOBAB	COTTONWOOD	PINE
BASSWOOD	ELM	REDWOOD
BEECH	FIR	SASSAFRAS
BIRCH	HAWTHORN	SPRUCE
BUTTERNUT	HICKORY	SYCAMORE
CEDAR	LARCH	WALNUT
CHERRY	MAPLE	WILLOW

Puzzle #3

SCHOOL

A	K	D	R	A	O	B	K	C	A	L	B	C	G	Z
S	C	C	E	Y	R	E	D	L	O	F	Z	A	R	T
S	R	L	A	S	R	G	L	O	B	E	Y	L	A	B
I	T	E	A	P	K	A	M	Y	G	Z	L	E	D	C
G	Q	K	P	S	K	S	N	L	E	A	R	N	E	F
N	N	U	O	A	S	C	F	O	V	L	P	D	S	F
M	O	E	I	O	P	R	A	L	I	B	R	A	R	Y
E	P	C	Q	Z	B	Z	O	B	W	T	T	R	Y	A
N	G	E	H	O	M	E	W	O	R	K	C	E	C	Z
T	S	N	N	Y	T	Q	T	O	M	E	B	I	S	M
P	A	S	I	C	K	E	B	O	Y	F	M	A	D	T
P	O	Q	E	D	I	A	H	R	N	R	U	L	E	R
D	C	A	X	C	A	L	A	P	I	C	N	I	R	P
A	X	G	K	D	E	E	T	N	E	D	U	T	S	Z
T	E	A	C	H	E	R	R	G	N	I	T	I	R	W

ASSIGNMENT	GRADES	QUIZ
BACKPACK	GYM	READING
BLACKBOARD	HOMEWORK	RECESS
CALENDAR	LEARN	RULER
CLASSROOM	LIBRARY	STUDENT
DESK	NOTEBOOK	TEACHER
DICTIONARY	PAPER	TEST
FOLDER	PENCIL	WRITING
GLOBE	PRINCIPAL	

Puzzle #4

TOOLS

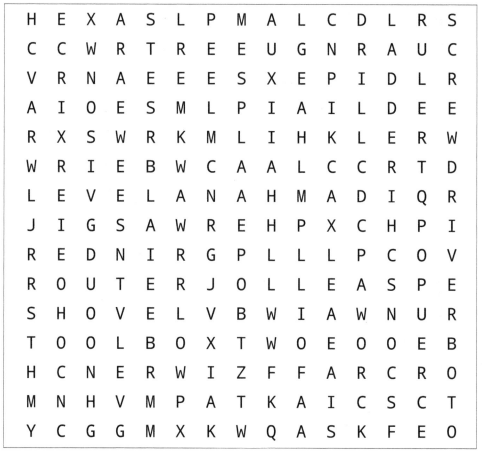

```
H  E  X  A  S  L  P  M  A  L  C  D  L  R  S
C  C  W  R  T  R  E  E  U  G  N  R  A  U  C
V  R  N  A  E  E  E  S  X  E  P  I  D  L  R
A  I  O  E  S  M  L  P  I  A  I  L  D  E  E
R  X  S  W  R  K  M  L  I  H  K  L  E  R  W
W  R  I  E  B  W  C  A  A  L  C  C  R  T  D
L  E  V  E  L  A  N  A  H  M  A  D  I  Q  R
J  I  G  S  A  W  R  E  H  P  X  C  H  P  I
R  E  D  N  I  R  G  P  L  L  L  P  C  O  V
R  O  U  T  E  R  J  O  L  L  E  A  S  P  E
S  H  O  V  E  L  V  B  W  I  A  W  N  U  R
T  O  O  L  B  O  X  T  W  O  E  O  O  E  B
H  C  N  E  R  W  I  Z  F  F  A  R  C  R  O
M  N  H  V  M  P  A  T  K  A  I  C  S  C  T
Y  C  G  G  M  X  K  W  Q  A  S  K  F  E  O
```

ALLEN WRENCH	HAMMER	RULER
AXE	JIGSAW	SCREWDRIVER
CALIPERS	LADDER	SHOVEL
CHISEL	LEVEL	TOOLBOX
CLAMP	MALLET	TROWEL
CROWBAR	PICKAXE	VISE
DRILL	PLANE	WRENCH
GRINDER	PLIERS	
HACKSAW	ROUTER	

MEASUREMENTS

```
E  B  U  S  H  E  L  C  A  R  A  T  P  S  I
H  R  A  R  E  T  E  M  I  T  N  E  C  U  D
N  T  C  R  E  E  R  G  E  D  O  Z  E  N  C
M  O  P  A  R  T  E  E  F  H  E  I  G  H  T
L  A  L  E  R  E  I  M  A  S  S  Y  N  S  E
M  E  R  L  D  W  L  L  I  P  Y  Q  N  C  Q
I  E  N  G  A  K  I  L  O  G  R  A  M  C  H
C  M  T  G  B  G  M  E  G  A  P  I  X  E  L
R  I  R  E  T  I  L  I  L  L  I  M  O  E  N
O  L  E  Z  R  H  U  I  J  V  I  R  U  P  N
G  E  Q  T  N  E  C  R  E  P  U  F  N  T  W
R  U  Q  J  U  Z  W  S  Q  J  U  N  C  Q  U
A  M  Y  N  K  N  O  L  Y  P  C  S  E  V  F
M  I  D  D  I  J  I  I  G  V  I  X  D  S  N
P  V  I  G  O  Y  I  M  Q  J  T  K  B  Y  J
```

ACRE	FEET	MEGAPIXEL
BARREL	GALLON	METER
BUSHEL	GRAM	MICROGRAM
CARAT	HEIGHT	MILE
CENTIMETER	INCH	MILLILITER
CUP	KILOGRAM	MINUTE
DEGREE	LENGTH	OUNCE
DEPTH	LITER	PERCENT
DOZEN	MASS	

Puzzle #6

US STATES

```
A  M  A  B  A  L  A  S  A  S  N  A  K  R  A
C  K  G  N  I  I  A  W  O  I  M  A  I  N  E
K  O  S  E  O  D  N  M  A  N  A  T  N  O  M
T  E  L  A  O  Z  A  R  A  V  R  R  D  Q  H
E  H  N  O  L  R  I  H  O  R  O  H  I  O  S
X  D  A  T  R  A  G  R  O  F  Y  M  A  G  C
A  M  F  T  U  A  T  I  A  L  I  L  N  I  A
S  A  I  S  U  C  D  O  A  A  Q  L  A  L  B
J  I  G  C  E  X  K  O  S  Z  C  Y  A  N  S
G  L  G  Q  H  A  F  Y  C  E  E  G  Y  C  D
A  N  A  I  S  I  U  O  L  N  N  S  P  S  T
N  E  V  A  D  A  G  G  A  S  F  N  S  E  K
C  A  J  H  A  K  S  A  R  B  E  N  I  D  T
I  R  U  O  S  S  I  M  N  D  V  Z  J  M  D
A  M  O  H  A  L  K  O  R  E  G  O  N  D  O
```

ALABAMA	IOWA	MONTANA
ALASKA	KANSAS	NEBRASKA
ARIZONA	KENTUCKY	NEVADA
ARKANSAS	LOUISIANA	OHIO
CALIFORNIA	MAINE	OKLAHOMA
COLORADO	MARYLAND	OREGON
GEORGIA	MICHIGAN	TEXAS
IDAHO	MINNESOTA	UTAH
INDIANA	MISSOURI	

Puzzle #7

PLANTS

```
A  O  D  B  U  L  B  Y  B  U  S  H  E  R  B
E  C  O  U  N  R  E  F  N  S  U  T  C  A  C
V  N  O  B  B  T  R  G  C  A  T  I  U  R  F
E  P  O  R  M  E  R  R  R  L  T  I  V  Y  L
R  D  B  C  N  A  Y  A  R  E  V  O  L  C  N
G  R  A  S  S  M  B  I  T  H  P  K  B  W  E
R  E  W  O  L  F  O  N  L  C  L  I  L  Y  T
E  K  E  L  P  M  O  S  S  I  E  S  N  C  D
E  P  A  L  M  N  E  L  L  O  P  N  E  U  L
N  A  S  E  Y  A  C  Z  P  Z  C  C  H  E  J
D  R  R  D  F  J  R  E  J  Y  X  U  V  E  D
K  T  C  G  O  F  S  Y  B  O  T  A  H  B  S
G  Z  F  Q  R  D  C  R  T  H  T  V  D  O  Z
K  C  F  T  U  C  X  X  K  U  K  E  G  Z  V
S  G  B  K  K  Q  B  O  R  W  F  Q  X  S  M
```

ACORN	CONE	JUNIPER
BAMBOO	EVERGREEN	KELP
BERRY	FERN	LILY
BOTANY	FLOWER	MOSS
BUD	FRUIT	NECTAR
BULB	GRAIN	PALM
BUSH	GRASS	POLLEN
CACTUS	HERB	SEED
CLOVER	IVY	

Puzzle #8

CLEANING

M	O	O	R	B	C	A	R	P	E	T	T	U	D	S
T	O	G	N	L	E	L	S	E	H	S	I	D	U	O
S	N	O	N	E	A	L	O	S	Y	L	A	S	S	A
S	P	E	R	I	H	U	I	T	S	I	N	K	T	P
S	E	R	G	H	T	C	N	T	H	O	L	Q	P	K
M	P	P	I	R	T	S	T	D	E	E	T	G	A	C
S	W	L	I	N	E	A	U	I	R	M	S	D	N	T
B	C	F	O	W	G	T	B	D	K	Y	T	L	Z	M
W	P	H	K	P	A	P	E	R	T	O	W	E	L	X
R	E	B	B	U	R	C	S	D	V	E	P	E	O	F
D	I	S	H	W	A	S	H	E	R	A	L	E	W	W
S	T	E	A	M	E	R	M	I	N	V	C	I	E	J
X	E	D	N	I	W	I	N	D	O	W	H	U	O	S
Y	E	N	K	R	R	F	G	W	X	U	B	X	U	T
Z	I	U	F	W	N	X	L	P	N	W	K	K	L	M

BATHROOM	DUSTPAN	SPRING
BROOM	KITCHEN	STEAMER
CARPET	LAUNDRY	TILE
CLOTHES	LYSOL	TOILET
DETERGENT	PAPER TOWEL	VACUUM
DISHES	SCRUBBER	WINDEX
DISHWASHER	SINK	WINDOW
DUSTING	SOAP	WIPES

Puzzle #9

COUNTRIES OF AFRICA

```
A  L  O  G  N  A  C  B  C  A  Y  N  E  K  L
C  I  I  M  A  L  I  O  A  H  P  W  G  R  I
M  A  R  B  M  P  N  T  N  E  A  X  Y  P  B
I  O  M  E  Y  A  T  S  U  G  N  D  P  W  E
A  F  R  E  G  A  D  W  U  M  O  I  T  G  R
Z  V  C  O  R  L  U  A  N  O  N  L  U  Y  I
R  E  X  I  C  O  A  N  G  Z  C  A  Z  G  A
N  I  G  E  R  C  O  A  E  A  P  Q  D  S  S
B  V  E  G  A  V  O  N  I  M  S  H  I  U  A
E  T  H  I  O  P  I  A  I  B  X  C  S  K  S
A  I  R  E  G  I  N  S  W  I  M  I  A  X  F
S  W  A  Z  I  L  A  N  D  Q  D  A  O  R  F
M  A  C  I  R  F  A  H  T  U  O  S  Z  N  S
A  I  N  A  Z  N  A  T  D  E  U  C  D  C  T
U  G  U  A  N  D  A  Z  I  M  B  A  B  W  E
```

ALGERIA	KENYA	SOUTH AFRICA
ANGOLA	LIBERIA	SUDAN
BOTSWANA	LIBYA	SWAZILAND
CAMEROON	MADAGASCAR	TANZANIA
CHAD	MALI	UGUANDA
CONGO	MOROCCO	ZAMBIA
EGYPT	MOZAMBIQUE	ZIMBABWE
ETHIOPIA	NIGER	
GUINEA	NIGERIA	

Puzzle #10

FAMOUS SHIPS

```
A  B  K  B  O  U  N  T  Y  E  S  S  E  X  H
R  E  C  R  T  H  G  U  O  N  D  A  E  R  D
I  A  L  O  A  E  S  I  R  P  R  E  T  N  E
Z  G  E  U  N  M  D  O  O  H  I  O  W  A  M
O  L  E  N  S  S  S  R  S  T  C  K  T  Y  I
N  E  M  S  I  I  T  I  O  A  V  I  T  R  S
A  I  Y  A  O  A  T  I  B  T  X  J  Z  D  S
O  P  K  T  Y  R  M  A  T  Y  I  E  T  P  O
N  N  O  M  I  F  Y  F  N  U  A  N  T  K  U
L  R  E  M  E  T  L  R  U  I  T  M  O  A  R
P  G  Y  M  N  T  A  O  A  F  A  I  A  M  I
K  R  A  S  H  A  O  N  W  M  H  S  O  T  S
V  I  C  T  O  R  Y  P  I  E  E  M  Z  N  O
Q  U  E  E  N  M  A  R  Y  C  R  T  W  E  E
A  I  R  A  M  A  T  N  A  S  N  S  I  Z  U
```

ARIZONA	HOOD	NOAHSARK
BEAGLE	IOWA	POTEMKIN
BISMARK	LUSITANIA	QUEEN MARY
BOUNTY	MAINE	SANTA MARIA
CONSTITUTION	MARYROSE	TEXAS
DREADNOUGHT	MAYFLOWER	TITANIC
ENTERPRISE	MISSOURI	VICTORY
ESSEX	MONITOR	YAMATO

Puzzle #11

CAR PARTS

```
A G F A F A T Y B R A K E S P
C R A R F I N S R E E H O O D
C H O B L R D N E E N P Q U S
E O H O R F F A E R T I M R B
L R P E D I Q E S T M T G U P
E N I Y A L A Z N H N R A N B
R P B H C T U L C D B A A B E
A A J K U E E O D Q E O V Z W
T W N U X R O R R I M R A F R
O H E A D L I G H T T P G R W
R P A C B U H R E L F F U M D
R E T E M O D O H N T E Q H T
R A D I A T O R X Z A O X Q M
T L E B T A E S W C Y I G O J
G U L P K R A P S I Q G G Q B
```

ACCELERATOR	CLUTCH	HORN
AIR FILTER	DASHBOARD	HUBCAP
AIRBAG	DOOR	MIRROR
ANTENNA	ENGINE	MUFFLER
ARMREST	FENDER	ODOMETER
BATTERY	HEADLIGHT	RADIATOR
BRAKES	HEATER	SEATBELT
BUMPER	HOOD	SPARK PLUG

Puzzle #12

NATURAL DISASTERS

E	H	C	N	A	L	A	V	A	R	A	I	N	H	P
F	M	Y	D	R	O	U	G	H	T	Z	X	R	R	F
L	U	C	E	N	F	L	A	S	H	L	I	G	H	T
O	D	L	M	A	O	H	U	R	R	I	C	A	N	E
O	S	O	A	R	R	I	M	O	N	S	O	O	N	S
D	L	N	R	N	O	T	T	W	N	S	Z	C	N	H
O	I	E	O	E	D	T	H	A	O	K	U	I	K	E
M	D	G	R	N	D	S	S	Q	U	N	Z	H	K	L
J	E	N	T	I	A	C	L	L	U	C	S	V	H	T
J	Y	O	A	Y	F	C	R	I	I	A	A	Q	F	E
Y	Z	B	F	R	V	D	L	O	D	A	K	V	X	R
T	Z	M	W	O	O	P	L	O	S	E	H	E	E	N
I	M	A	N	U	S	T	D	I	V	S	Z	L	O	T
R	E	H	T	A	E	W	U	F	W	G	J	V	C	Z
W	I	N	D	S	T	O	R	M	P	T	K	D	B	V

AVALANCHE
CYCLONE
DROUGHT
EARTHQUAKE
EVACUATION
FLASHLIGHT
FLOOD
HAILSTORM

HURRICANE
LANDSLIDE
MONSOON
MUDSLIDE
RAIN
RED CROSS
SHELTER
SNOW

TORANDO
TSUNAMI
VOLCANO
WEATHER
WILDFIRE
WINDSTORM

Puzzle #13

SCIENCE

```
Y  M  O  T  A  B  B  C  E  L  L  D  U  R  F
L  M  Y  S  R  I  I  O  L  N  D  J  A  E  J
X  A  O  G  S  E  R  O  T  I  E  R  B  T  R
E  K  C  N  O  A  T  E  L  A  M  R  V  T  A
V  J  X  I  O  L  M  T  T  O  N  A  G  A  M
O  M  E  X  M  R  O  X  A  C  G  Y  T  Y  I
L  I  E  U  Q  E  T  E  X  M  A  Y  E  E  C
U  H  J  U  C  A  H  S  G  T  C  B  S  C  R
T  N  E  M  E  L  E  C  A  Q  F  X  T  T  O
I  T  N  E  M  I  R  E  P  X  E  U  T  A  S
O  Y  T  I  V  A  R  G  P  G  S  P  U  D  C
N  S  I  S  E  H  T  O  P  Y  H  E  B  O  O
Y  R  O  T  A  R  O  B  A  L  Z  Q  E  G  P
E  L  U  C  E  L  O  M  M  X  H  O  A  J  E
S  C  I  S  Y  H  P  H  C  R  A  E  S  E  R
```

ASTRONOMY	DATA	LABORATORY
ATOM	ELEMENT	MASS
BACTERIA	ENERGY	MATTER
BIOLOGY	EVOLUTION	MICROSCOPE
BOTANY	EXPERIMENT	MOLECULE
CELL	GEOLOGY	PHYSICS
CHEMICAL	GRAVITY	RESEARCH
CLIMATE	HYPOTHESIS	TEST TUBE

Puzzle #14
COUNTRY

```
D  I  N  D  O  N  E  S  I  A  I  R  A  N  T
T  N  Q  A  R  I  Y  I  S  R  A  E  L  U  U
A  D  A  O  E  H  C  L  G  X  E  Q  T  G  R
N  I  Z  L  G  X  Y  N  A  W  R  L  H  T  K
Z  A  P  P  E  O  R  K  H  T  S  Y  A  U  E
A  G  N  O  T  C  T  Y  Z  T  I  Q  I  N  Y
N  T  A  J  I  K  I  S  T  A  N  C  L  I  D
I  S  A  X  E  T  F  X  G  B  O  A  S  T  A
E  T  S  E  L  R  O  M  I  T  K  N  I  U  N
A  T  S  I  N  E  M  K  R  U  T  D  A  V  M
F  S  V  C  N  Z  S  F  B  M  H  Y  K  A  M
R  X  F  J  E  G  R  I  G  B  C  T  C  L  B
H  W  Z  D  P  D  B  D  Y  Y  Q  U  E  U  J
F  B  Q  W  O  L  E  W  N  F  H  G  J  U  S
U  S  Z  A  I  J  K  I  Z  Z  L  G  X  U
```

ICELAND	ITALY	TONGA
INDIA	TAJIKISTAN	TUNISIA
INDONESIA	TANZANIA	TURKEY
IRAN	TEXAS*	TURKMENISTAN
IRAQ	THAILAND	TUVALU
IRELAND	TIMORLESTE	
ISRAEL	TOGO	

Puzzle #15

BEACH

```
F  T  I  U  S  G  N  I  H  T  A  B  Z  N  F
L  R  I  N  I  K  I  B  C  O  O  L  E  R  I
H  L  I  S  H  A  R  K  A  R  O  Q  P  C  S
O  S  A  S  L  I  F  E  G  U  A  R  D  N  H
N  C  I  B  B  N  T  H  Q  O  M  B  Z  Z  I
S  A  E  F  H  E  E  R  T  M  L  A  P  D  N
A  S  C  A  Y  C  E  S  L  A  D  N  A  S  G
N  E  J  I  N  L  A  T  A  O  B  L  I  A  S
D  A  V  Q  L  L  L  E  H  S  A  E  S  V  O
C  G  L  X  Q  E  Z  E  B  P  H  A  E  P  Y
A  U  B  I  Q  T  P  R  J  X  T  D  Y  P  S
S  L  S  E  S  S  A  L  G  N  U  S  O  H  V
T  L  N  E  E  R  C  S  N  U  S  T  O  G  Z
L  S  U  R  F  B  O  A  R  D  W  F  J  Z  U
E  U  M  B  R  E  L  L  A  Y  Q  D  K  W  H
```

BATHING SUIT	JELLYFISH	SEAGULL
BEACHBALL	LIFEGUARD	SEASHELL
BIKINI	OCEAN	SHARK
COOLER	PALM TREE	SUNGLASSES
COOLER	PELICAN	SUNSCREEN
CRAB	SAILBOAT	SURFBOARD
FISHING	SANDALS	UMBRELLA
FRISBEE	SANDCASTLE	

Puzzle #16

GENERAL

A	S	C	A	R	V	E	E	F	F	L	R	Z	Q	M
B	R	K	E	Q	H	A	D	U	L	R	I	A	J	A
A	R	U	O	P	A	R	G	W	N	Y	O	A	Y	G
F	V	Z	W	O	G	N	E	J	Q	P	D	G	J	I
T	Q	O	Z	H	B	R	E	H	T	A	G	T	S	C
I	N	C	A	N	D	E	S	C	E	N	T	D	C	S
L	R	E	P	L	Y	I	L	H	C	T	A	M	A	N
K	U	N	C	G	I	Q	L	B	S	W	X	O	R	O
W	A	M	F	I	U	L	B	A	A	G	J	C	E	W
P	E	E	B	Q	F	I	N	T	U	E	A	M	D	D
V	E	Z	U	E	Z	I	Z	G	N	Q	K	P	B	G
G	W	S	L	Q	R	P	N	D	T	U	S	I	D	X
S	Q	S	K	I	S	W	I	G	G	L	Y	O	L	F
D	N	U	O	R	R	U	S	N	A	Z	G	C	T	U
Q	D	K	D	S	Y	M	P	T	O	M	A	T	I	C

ABAFT
BOOKS
CARVE
EARN
EDGE
FLY
FROGS
GATHER

INCANDESCENT
JAIL
LIKEABLE
LUMBER
MAGIC
MAGNIFICENT
MATCH
POUR

RAY
REPLY
SCARED
SNOW
SQUALID
SQUEAK
SURROUND
SYMPTOMATIC

Puzzle #17

AT THE PET STORE

```
M  U  I  R  A  U  Q  A  B  V  B  H  S  I  F
R  B  I  R  D  F  E  E  D  E  R  O  X  R  T
S  E  S  W  O  H  C  E  T  T  D  W  W  V  Y
F  R  I  C  O  L  L  A  R  E  N  A  E  L  C
G  O  E  H  N  M  K  K  P  T  D  K  J  E  S
U  X  U  T  S  L  C  E  M  E  T  U  J  A  P
I  T  O  N  L  A  D  N  L  G  L  A  Y  S  E
N  S  E  B  T  I  C  N  L  O  T  L  C  H  R
E  R  A  E  R  A  F  E  L  I  T  T  E  R  C
A  Y  S  L  K  E  I  L  G  B  H  L  K  T  H
P  Z  Z  P  O  A  T  N  T  R  E  A  T  S  S
I  E  W  W  S  N  R  T  W  E  T  F  O  O  D
G  U  Z  M  C  L  J  A  I  R  J  S  X  U  W
S  N  I  M  A  T  I  V  P  L  V  Z  G  O  T
U  B  Y  R  J  T  A  M  K  H  V  W  O  W  K
```

AQUARIUM	FILTERS	PELLETS
BED	FISH	PERCH
BIRD FEEDER	FOUNTAIN	SALON
BOWLS	GUINEA PIG	TREATS
CASHIER	KENNEL	VET
CAT TREE	LEASH	VITAMINS
CHOWS	LITTER	WET FOOD
CLEANER	LITTERBOX	
COLLAR	PARAKEET	

Puzzle #18

BOATS

```
R  P  Y  E  O  N  A  C  M  D  K  C  O  D  L
Y  O  I  O  H  K  I  C  A  E  Y  R  R  E  F
L  E  H  H  U  U  A  A  S  C  R  U  A  F  S
K  J  L  C  S  B  L  Y  T  K  V  I  N  O  T
H  Z  L  L  N  E  T  L  A  P  W  S  S  C  A
H  E  L  M  A  A  L  A  T  K  A  E  H  J  R
T  H  C  A  Y  G  E  T  O  A  R  C  Z  W  B
L  A  C  I  T  U  A  N  T  B  O  X  H  T  O
E  L  O  H  T  R  O  P  G  A  E  B  E  R  A
P  R  O  P  E  L  L  E  R  V  B  F  G  G  R
R  U  D  D  E  R  S  A  I  L  O  R  I  U  D
S  E  A  S  I  C  K  L  N  C  O  Y  J  L  T
P  A  R  Y  F  X  Q  I  A  D  A  J  A  H  H
M  Q  K  T  L  T  W  V  M  K  I  V  T  G  W
S  C  U  E  J  M  A  L  N  Q  G  G  Q  W  E
```

ANCHOR	GALLEY	PROPELLER
BATTLESHIP	HELM	RUDDER
BUOY	HULL	SAILOR
CANOE	KAYAK	SEASICK
CAPTAIN	LIFEBOAT	STARBOARD
CRUISE	MAST	TUGBOAT
DECK	NAUTICAL	VOYAGE
DOCK	OAR	YACHT
FERRY	PORTHOLE	

Puzzle #19

JOBS

```
A  R  O  T  C  A  R  R  F  B  X  A  P  D  G
C  T  E  T  S  A  N  E  E  E  B  N  Q  O  A
C  D  H  K  S  I  R  A  K  H  H  M  O  C  R
O  E  E  L  A  I  T  P  I  N  C  C  Q  T  D
U  R  V  N  E  B  G  R  E  D  A  T  S  O  E
N  E  O  I  T  T  R  O  A  N  O  B  U  R  N
T  P  S  T  T  I  E  E  L  K  T  T  C  B  E
A  P  O  R  I  C  S  G  E  O  C  E  S  E  R
N  L  E  B  U  D  E  T  Y  N  I  C  R  U  L
T  W  P  P  B  N  E  T  B  Q  I  B  W  E  C
N  A  I  C  I  R  T  C  E  L  E  G  Y  M  C
F  A  R  M  E  R  G  A  W  D  R  A  N  W  T
F  I  R  E  F  I  G  H  T  E  R  I  N  E  T
N  A  M  R  E  H  S  I  F  L  A  W  Y  E  R
R  E  S  S  E  R  D  R  I  A  H  N  C  F  P
```

ACCOUNTANT	CARPENTER	ENGINEER
ACTOR	CHEF	FARMER
ARTIST	CUSTODIAN	FIREFIGHTER
ATHLETE	DENTIST	FISHERMAN
BAKER	DETECTIVE	GARDENER
BANKER	DOCTOR	HAIRDRESSER
BIOLOGIST	EDITOR	LAWYER
BUTCHER	ELECTRICIAN	NURSE

Puzzle #20

DRUMS

```
A  C  O  U  S  T  I  C  B  S  O  G  N  O  B
S  A  G  N  O  C  L  L  E  B  W  O  C  H  R
C  D  F  U  S  I  O  N  A  J  T  Y  M  I  U
E  Y  R  S  D  A  P  S  T  A  A  K  A  H  S
P  L  M  U  M  N  R  N  S  Z  B  V  R  A  H
E  S  D  B  M  S  B  D  Z  Z  L  R  C  T  E
R  Y  K  D  A  S  T  E  L  L  A  M  H  A  S
C  L  T  C  I  L  O  S  N  A  R  E  I  M  T
U  A  D  W  I  D  A  L  O  J  W  U  N  B  R
S  T  E  E  L  T  A  R  O  N  E  T  G  O  I
S  Q  O  I  T  Y  S  R  E  T  E  J  B  U  A
I  T  I  M  P  A  N  I  A  R  H  P  A  R  N
O  K  P  M  T  J  N  P  E  P  Y  C  N  I  G
N  J  W  V  S  O  U  B  M  L  M  A  D  N  L
B  K  B  C  I  C  M  W  P  O  R  A  V  E  E
```

ACOUSTIC	HI HAT	STICKS
BEATS	JAZZ	STICKS
BONGOS	MALLET	TABLA
BRUSHES	MARCHING BAND	TAMBOURINE
CONGAS	PADS	TENOR
COW BELL	PARADIDDLE	TIMPANI
CYMBAL	PERCUSSION	TOM TOM
DRUM SOLO	SNARE	TRIANGLE
FUSION	STEEL	

Puzzle #21

LUNCH

A	Y	U	G	Q	U	B	C	E	Z	C	V	J	G	V
W	P	R	L	O	P	Y	A	H	G	R	A	P	E	S
A	J	P	E	Z	D	V	R	X	I	A	G	F	S	O
T	J	E	L	L	O	T	R	J	I	C	I	H	O	R
E	A	N	L	E	E	Z	O	D	M	K	K	W	U	A
R	Q	E	V	L	S	C	T	H	O	E	A	E	P	N
X	D	U	M	F	Y	A	S	P	S	R	C	N	N	G
G	X	O	B	H	C	N	U	L	I	S	N	S	U	E
H	N	K	Z	A	C	T	H	C	A	Z	I	A	T	T
H	K	I	B	I	Z	N	R	L	E	M	Z	L	Z	T
S	C	R	D	O	J	G	U	U	Q	A	V	A	Z	A
H	C	I	W	D	N	A	S	L	G	X	Q	D	M	E
N	D	A	M	F	U	E	I	H	T	O	O	M	S	P
H	Q	V	Q	L	X	P	U	P	S	F	Y	I	M	T
T	K	S	P	K	X	X	B	W	Z	K	E	T	S	Y

APPLESAUCE	JELLY	SANDWICH
CARROTS	LUNCH BOX	SMOOTHIE
CELERY	LUNCH MEAT	SOUP
CHICKEN	ORANGE	TUNA
CRACKERS	PIZZA	WATER
GRAPES	PUDDING	YOGURT
HOT DOG	SALAD	
JELLO	SANDWICH	

Puzzle #22

KITCHEN

```
A P R O N C A N O P E N E R P
C R S E T R O E F I N K L S L
Y O E K D O E L R E X I M I A
R N O Z I N P H A A K E S N T
W O A K E L E K S N W S X K E
O X T P B E L L C A D T I E P
K J D A G O R E B O W E A H A
J H B V R N O F T H R H R L W
T E E H S E I K O O C C S Z F
D N J W Q P G Y S W P E S I M
A L U T A P S I R E Q A L P D
T O A S T E R E R F C Y E W G
T R U P Z R H T Z F V I R T P
R O L L I N G P I N E Z P B O
N O R I E L F F A W O R M S M
```

APRON	FREEZER	SPATULA
BLENDER	FRYING PAN	SPICES
CAN OPENER	KNIFE	TEAPOT
COLANDER	MIXER	TOASTER
COOKBOOK	PLATE	WAFFLE IRON
COOKIE SHEET	REFRIGERATOR	WHISK
CROCKPOT	ROLLING PIN	WOK
DISHWASHER	SINK	
FLATWARE	SKILLET	

Puzzle #23

INSECTS

```
T  N  A  G  U  B  D  E  B  E  E  T  L  E  G
Y  I  H  L  I  C  E  M  A  G  G  O  T  O  N
T  L  W  C  N  M  B  E  T  I  M  R  E  T  A
F  E  F  R  A  L  L  I  P  R  E  T  A  C  T
I  A  K  R  J  O  Y  L  F  N  O  G  A  R  D
R  H  E  C  E  U  R  T  A  P  K  M  I  F  R
E  P  T  L  I  T  N  K  S  D  S  C  E  N  K
F  H  H  O  F  R  T  E  C  U  Y  A  K  B  O
L  J  K  H  M  X  C  U  B  O  C  B  W  L  L
Y  C  O  D  G  X  E  M  B  U  C  O  U  V  P
R  E  P  P  O  H  S  S  A  R  G  Z  L  G  D
O  T  I  U  Q  S  O  M  R  O  W  K  L  I  S
V  F  A  Y  S  U  T  M  K  T  V  H  P  B  T
P  U  M  Z  E  L  R  Z  T  Y  S  G  X  T  T
P  Z  Z  C  R  H  J  O  G  L  L  G  Z  N  R
```

ANT	DRAGONFLY	LOCUST
BEDBUG	FIREFLY	MAGGOT
BEE	FLEA	MOSQUITO
BEETLE	GNAT	MOTH
BUTTERFLY	GRASSHOPPER	ROACH
CATERPILLAR	JUNEBUG	SILKWORM
COCKROACH	LADYBUG	TERMITE
CRICKET	LICE	WASP

Puzzle #24

TEXAS CITIES

```
A  A  N  N  B  O  E  R  N  E  D  P  C  Y  L
B  M  W  O  I  A  H  Y  F  Z  A  N  A  H  U
I  A  V  A  T  T  Y  G  A  R  L  A  N  D  B
L  R  U  P  C  G  S  T  W  P  L  R  Y  S  B
E  I  Y  K  K  O  N  U  O  Z  A  V  O  D  O
N  L  B  D  F  Z  U  I  A  W  S  R  N  M  C
E  L  O  S  A  P  L  E  L  E  N  T  L  C  K
F  O  R  T  W  O  R  T  H  T  N  U  A  K  V
N  G  C  Q  M  W  R  N  P  L  R  R  K  I  F
O  O  N  S  R  G  M  T  E  D  G  A  E  N  T
L  D  T  I  I  G  A  L  V  E  S  T  O  N  N
A  G  E  S  V  R  S  H  C  A  L  D  H  E  R
O  R  F  R  U  R  F  X  K  J  T  L  Z  Y  G
T  Z  U  N  A  O  I  B  B  I  T  Q  I  V  G
W  B  J  S  Z  L  H  H  B  Z  Z  R  G  K  W
```

ABILENE	EL PASO	LAREDO
AMARILLO	FORT WORTH	LUBBOCK
ARTLINGTON	FRISCO	MCKINNEY
AUSTIN	GALVESTON	WACO
BAYTOWN	GARLAND	
BOERNE	HOUSTON	
CANYON LAKE	IRVING	
DALLAS	KILLEEN	

Puzzle #25

ART

```
A  H  Y  S  E  M  A  R  F  C  L  D  N  T  D
B  G  S  H  A  G  Z  L  U  H  V  E  M  P  B
S  R  N  U  P  V  A  I  A  A  A  E  S  P  X
T  O  I  I  R  A  N  P  Y  R  E  L  L  A  G
R  L  I  T  W  B  R  A  U  C  U  N  H  S  E
A  Y  O  L  V  A  O  G  C  O  H  M  C  T  S
C  I  A  S  O  M  R  M  I  A  C  D  T  E  T
T  I  B  I  H  X  E  D  E  L  L  E  C  L  I
L  A  N  D  S  C  A  P  E  E  L  F  D  Y  L
E  C  E  I  P  R  E  T  S  A  M  A  D  B  L
I  L  L  U  S  T  R  A  T  I  O  N  C  M  L
M  I  X  E  D  M  E  D  I  A  V  N  J  O  I
M  U  E  S  U  M  G  N  I  T  N  I  A  P  F
T  I  A  R  T  R  O  P  S  K  E  T  C  H  E
S  C  U  L  P  T  U  R  E  O  P  F  V  H  E
```

ABSTRACT	EXHIBIT	MURAL
BRUSH	FRAME	MUSEUM
CALLIGRAPHY	GALLERY	PAINTING
CANVAS	ILLUSTRATION	PASTEL
CHARCOAL	LANDSCAPE	PORTRAIT
DECOUPAGE	MASTERPIECE	SCULPTURE
DRAWING	MIXED MEDIA	SKETCH
EASEL	MOSAIC	STILL LIFE

Puzzle #26

CAMPING

```
E  S  B  C  C  E  T  U  O  K  O  O  C  D  R
G  R  S  A  A  A  O  H  E  S  N  M  A  P  A
T  N  U  E  C  M  M  N  U  P  R  O  K  Y  C
E  N  I  T  R  K  P  P  A  N  O  A  T  B  C
R  X  E  H  N  T  P  F  S  C  T  R  T  S  O
N  Y  E  T  S  E  T  A  I  I  L  I  J  S  O
J  M  T  Z  W  I  V  A  C  R  T  I  N  M  N
N  A  T  U  R  E  F  D  M  K  E  E  A  G  S
K  N  A  P  S  A  C  K  A  R  S  G  X  R  W
T  N  E  M  P  I  U  Q  E  S  I  D  P  I  T
T  H  G  I  L  H  S  A  L  F  M  A  O  X  O
S  T  O  O  B  G  N  I  K  I  H  O  T  O  X
S  L  E  E  P  I  N  G  B  A  G  M  R  L  W
S  T  A  T  E  P  A  R  K  F  P  C  L  E  K
W  I  L  D  L  I  F  E  W  X  B  L  P  Z  S
```

ADVENTURE
AIR MATTRESS
BACKPACK
CAMPFIRE
CAMPSITE
CANOE
COOKOUT
EQUIPMENT
FISHING

FLASHLIGHT
HIKING BOOTS
HUNTING
KNAPSACK
KNOTS
MAP
NATURE
RACCOONS
ROPE

SLEEPING BAG
SMORES
STARS
STATE PARK
TENT
TRAIL
WILDLIFE
WOODS

Puzzle #27

LIQUOR DRINKS

```
A  B  A  Y  B  R  E  E  Z  E  B  D  M  M  S
R  M  A  N  I  L  A  T  A  C  L  A  A  O  A
L  E  A  C  O  S  M  O  X  U  O  Q  R  S  Z
I  E  D  M  G  I  M  L  E  T  O  U  G  C  E
L  N  V  D  A  U  I  Z  T  V  D  I  A  O  R
P  L  O  A  O  M  S  N  U  S  Y  R  R  W  A
A  O  U  R  N  C  A  A  I  W  M  I  I  M  C
A  S  R  B  G  Y  E  H  L  T  A  J  T  U  Y
S  M  O  D  Y  E  Z  P  A  T  R  I  A  L  A
I  B  O  M  N  N  N  Z  A  B  Y  A  W  E  J
G  N  Y  L  I  O  R  N  U  C  I  D  M  W  J
Y  B  T  G  A  M  M  O  I  F  J  E  O  H  E
G  R  U  I  I  P  H  E  H  G  L  J  C  G  S
Z  O  M  B  I  E  P  E  L  U  J  T  N  I  M
N  A  T  T  A  H  N  A  M  H  W  V  P  G  J
```

BAHAMA MAMA	GIMLET	MINT JULEP
BAY BREEZE	GIN NEGRONI	MOSCOW MULE
BLOODY MARY	HORNY BULL	PALOMA
CAPE CODDER	LEMON DROP	SALTY DOG
CATALINA	MANHATTAN	SAZERAC
COSMO	MARGARITA	ZOMBIE
DAQUIRI	MARTINI	
FUZZY NAVEL	MIMOSA	

Puzzle #28

MUSIC CLASS

O	O	T	D	R	O	H	C	F	E	L	C	Y	L	K
T	R	I	A	E	O	J	A	Z	Z	R	R	W	E	G
M	A	G	G	E	R	J	R	R	O	S	E	E	G	K
P	E	L	E	G	B	U	A	O	M	C	H	T	S	C
I	C	L	F	L	E	R	S	M	N	O	T	A	E	T
T	Z	I	O	F	L	P	H	A	E	I	N	A	R	M
C	P	F	N	D	R	A	R	Y	E	R	M	Y	V	P
H	B	E	F	O	Y	W	Q	A	T	M	K	S	T	E
N	O	I	T	A	T	O	N	K	E	H	L	C	P	L
T	E	M	P	O	T	A	A	X	U	W	M	A	D	Z
T	R	E	B	L	E	S	T	C	Z	S	C	L	P	L
K	J	R	N	D	A	A	D	N	G	V	O	E	V	T
I	C	L	D	M	M	T	F	H	E	Y	X	L	F	D
R	O	D	B	Q	S	X	E	P	Y	P	V	Z	N	V
F	V	X	M	T	C	T	U	U	C	U	B	C	L	N

ALLEGRO	MAJOR	REST
ARPEGGIO	MEASURE	RHYTHM
BEAT	MELODY	SCALE
CHORD	METER	SHARP
CLEF	MINOR	STAFF
FLAT	NOTATION	TEMPO
HARMONY	OCTAVE	TREBLE
JAZZ	PENTATONIC	
KEY	PITCH	

Puzzle #29

EXERCISE

```
S  L  L  A  B  T  E  K  S  A  B  Q  A  S  M
G  C  L  I  M  B  I  N  G  H  I  K  I  N  G
G  N  I  C  R  O  S  S  F  I  T  W  D  H  D
G  N  I  B  L  G  E  T  A  R  A  K  A  C  H
R  N  I  X  O  L  N  P  S  E  T  A  L  I  P
G  A  I  L  O  R  A  I  O  R  E  C  C  O  S
A  N  C  C  C  B  E  B  G  R  X  U  F  R  W
C  G  I  Q  N  Y  S  A  T  G  P  F  N  Q  I
R  I  O  W  U  A  C  P  S  O  O  M  U  C  M
G  A  B  Y  O  E  D  A  I  I  O  J  U  B  M
L  A  Q  T  M  R  T  N  B  N  N  F  C  J  I
G  N  I  T  A  K  S  B  B  M  N  N  F  F  N
T  A  I  C  H  I  G  Z  A  F  U  I  E  C  G
S  T  H  G  I  E  W  T  I  L  C  Z  N  T  D
B  V  Y  U  H  F  P  T  P  N  L  E  H  G  O
```

AEROBICS	HIKING	SOCCER
BASKETBALL	JOGGING	SPINNING
BOXING	JUMPROPE	SWIMMING
CLIMBING	KARATE	TAI CHI
CROSS FIT	PILATES	TENNIS
CYCLING	RACQUETBALL	WEIGHTS
DANCING	ROWING	YOGA
FOOTBALL	SKATING	ZUMBA

Puzzle #30

WIND

A	A	E	F	G	Z	M	C	M	B	T	L	Y	V	N
S	C	V	Z	L	O	F	L	I	L	H	S	I	V	G
H	L	I	A	E	O	F	O	S	I	U	I	O	A	L
D	E	E	D	L	E	O	U	T	Z	R	O	C	R	H
H	A	Z	E	R	A	R	D	X	Z	R	V	O	T	F
N	I	A	R	T	A	N	B	S	A	I	S	N	O	W
H	S	U	L	S	X	I	C	V	R	C	M	J	R	F
C	Y	C	L	O	N	E	N	H	D	A	G	L	N	J
H	E	A	T	W	A	V	E	L	E	N	X	D	A	O
L	I	G	H	T	N	I	N	G	L	E	L	V	D	I
M	T	H	U	N	D	E	R	G	F	A	P	H	O	F
W	R	T	Z	E	Y	P	E	W	B	G	U	D	E	A
N	H	O	X	G	T	A	Y	J	A	R	K	Q	U	W
Z	U	C	T	T	O	T	Q	T	E	N	G	W	S	W
W	Q	N	E	S	L	R	C	X	V	X	W	I	W	E

ACIDRAIN	FROST	SLEET
AVALANCHE	HAIL	SLUSH
BLIZZARD	HAZE	SNOW
BREEZE	HEATWAVE	SQUALL
CLOUD	HURRICANE	STORM
CYCLONE	LIGHTNING	THUNDER
FLOOD	MIST	TORNADO
FOG	RAIN	

Puzzle #31

YARD

```
L  L  A  B  T  E  K  S  A  B  H  C  N  E  B
D  G  K  I  F  S  C  E  G  E  D  N  A  L  P
R  R  R  C  L  P  O  N  G  A  T  E  W  N  Y
I  A  I  E  O  O  O  P  E  A  R  A  E  A  X
V  S  P  B  W  M  O  R  M  F  R  D  G  R  L
E  S  A  T  E  O  M  P  C  O  J  A  E  T  T
W  T  T  E  R  N  M  A  L  H  C  X  G  N  X
A  O  I  R  S  A  I  N  H  G  N  I  W  S  E
Y  N  O  R  T  A  B  L  E  R  R  I  U  Q  S
X  E  S  A  I  H  P  B  O  A  C  V  A  R  T
B  S  N  C  F  E  F  A  I  P  D  T  F  B  Z
X  E  V  E  W  G  Q  F  L  T  M  F  F  O  R
Q  A  J  C  B  X  I  T  Y  F  D  A  F  L  S
T  O  T  X  B  C  A  W  R  E  Q  F  R  D  V
T  J  T  F  C  G  T  E  S  S  X  N  B  T  Q
```

BASKETBALL	GARDEN	PORCH
BENCH	GATE	RABBIT
BIRD	GRASS	SQUIRREL
COMPOST	HAMMOCK	STONES
DRIVEWAY	LAND	SWING
FENCE	LAWN	TERRACE
FLOWERS	MOWER	TRAMPOLINE
GARAGE	PATIO	TREE
GARDEN	POOL	

Puzzle #32

COMPUTERS

```
A   B   R   E   D   O   W   N   L   O   A   D   F   G   S
N   E   A   E   S   E   M   J   S   X   E   I   I   I   O
A   B   N   C   S   A   S   O   T   R   N   G   L   G   F
L   W   X   C   K   W   B   K   U   O   P   I   E   A   T
O   N   W   M   R   U   O   A   T   S   D   T   V   B   W
G   Z   Q   U   K   Y   P   R   T   O   E   A   I   Y   A
P   O   T   P   A   L   P   D   B   A   P   L   R   T   R
M   O   N   I   T   O   R   T   R   Y   D   K   U   E   E
L   L   A   W   E   R   I   F   I   A   R   P   S   M   D
E   R   A   W   D   R   A   H   E   O   O   O   J   A   O
F   L   A   S   H   D   R   I   V   E   N   B   M   B   C
E   M   A   R   F   N   I   A   M   D   Q   H   Y   E   Y
M   O   T   H   E   R   B   O   A   R   D   P   Q   E   M
N   E   T   W   O   R   K   R   E   T   U   O   R   Q   K
D   R   O   W   S   S   A   P   S   E   R   V   E   R   B
```

ANALOG	FIREWALL	MOTHERBOARD
BACKUP	FLASH DRIVE	MOUSE
BROWSER	GIGABYTE	NETWORK
DATABASE	HARDWARE	PASSWORD
DESKTOP	KEYBOARD	ROUTER
DIGITAL	LAPTOP	SERVER
DOWNLOAD	MAINFRAME	SOFTWARE
ENCRYPTION	MEMORY	VIRUS
FILE	MONITOR	

Puzzle #33

TREES

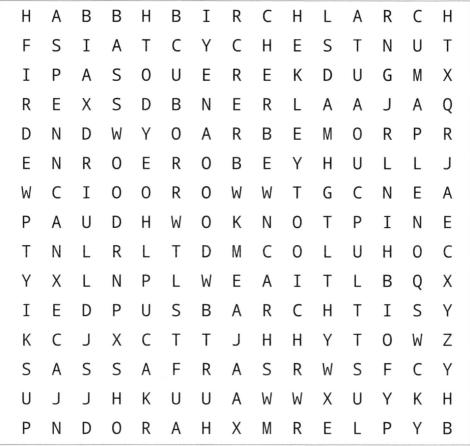

H A B B H B I R C H L A R C H
F S I A T C Y C H E S T N U T
I P A S O U E R E K D U G M X
R E X S D B N E R L A A J A Q
D N D W Y O A R B E M O R P R
E N R O E R O B E Y H U L L J
W C I O O R O W W T G C N E A
P A U D H W O K N O T P I N E
T N L R L T D M C O L U H O C
Y X L N P L W E A I T L B Q X
I E D P U S B A R C H T I S Y
K C J X C T T J H H Y T O W Z
S A S S A F R A S R W S F C Y
U J J H K U U A W W X U Y K H
P N D O R A H X M R E L P Y B

ASH	CHESTNUT	PINE
ASPEN	COTTONWOOD	REDWOOD
BAOBAB	ELM	SASSAFRAS
BASSWOOD	FIR	SPRUCE
BEECH	HAWTHORN	SYCAMORE
BIRCH	HICKORY	WALNUT
BUTTERNUT	LARCH	WILLOW
CEDAR	MAPLE	
CHERRY	OAK	

Puzzle #34

ON THE ROAD

```
E  A  C  C  I  D  E  N  T  B  S  U  B  C  Q
R  T  E  L  C  Y  C  I  B  K  R  V  A  A  E
P  U  A  Y  S  Y  A  L  L  O  T  I  Y  R  X
O  M  O  R  A  T  A  W  Y  I  X  F  D  X  P
V  N  A  T  E  W  H  W  E  M  X  S  G  G  R
E  K  A  R  E  L  E  G  H  V  F  K  D  A  E
R  N  L  I  T  D  E  E  I  G  I  E  O  O  S
P  N  O  A  R  I  V  C  R  L  I  R  C  C  S
A  U  G  Z  W  T  X  E  C  F  D  H  D  H  W
S  M  U  I  L  E  S  E  H  A  G  A  L  U  A
S  E  T  J  S  O  D  E  E  I  M  I  E  F  Y
J  X  Q  L  E  P  O  I  D  I  C  F  W  H  G
V  O  O  M  X  W  O  H  S  E  U  L  O  H  J
S  E  A  T  B  E  L  T  C  O  P  S  E  J  P
C  I  F  F  A  R  T  Z  S  S  X  S  S  Y  E
```

ACCELERATE	EXIT RAMP	SEATBELT
ACCIDENT	EXPRESSWAY	SIDEWALK
BICYCLE	FREEWAY	STOP SIGN
BRIDGE	HEADLIGHTS	TOLL
BUS	HIGHWAY	TRAFFIC
CAR	OVERPASS	VEHICLE
DETOUR	PEDESTRIAN	
DRIVEWAY	SCHOOL ZONE	

Puzzle #35

ROADS

```
A  E  B  E  Y  C  I  R  C  L  E  T  V  Q  J
C  Y  U  O  G  A  T  R  U  O  C  V  G  Y  P
C  H  A  N  U  D  W  P  M  A  R  T  I  X  E
E  T  I  W  E  L  I  E  Y  H  D  S  J  R  N
S  G  E  G  E  V  E  R  S  A  O  P  E  D  D
S  T  I  E  H  E  A  V  B  U  W  G  W  R  U
R  J  N  E  R  W  R  S  A  Y  A  L  A  L  R
O  B  W  R  T  T  A  F  Z  R  M  C  L  O  D
A  M  X  W  T  I  S  Y  J  M  D  S  K  O  O
D  F  A  E  L  R  E  V  O  L  C  X  W  T  T
E  X  P  R  E  S  S  W  A  Y  N  R  A  G  Q
I  N  T  E  R  S  E  C  T  I  O  N  Y  O  S
S  S  A  P  R  E  V  O  Y  A  W  K  R  A  P
T  O  L  G  N  I  K  R  A  P  S  C  L  G  A
S  E  R  V  I  C  E  R  O  A  D  U  C  M  R
```

ACCESS ROAD	DRIVE	PARKWAY
AVENUE	EXIT RAMP	SERVICE ROAD
BOULEVARD	EXPRESSWAY	STREET
BRIDGE	FREEWAY	TOLLWAY
CAUSEWAY	HIGHWAY	WALKWAY
CIRCLE	INTERSECTION	
CLOVERLEAF	OVERPASS	
COURT	PARKING LOT	

Puzzle #36

COFFEE

```
A  D  W  C  C  C  N  F  A  C  E  D  R  I  P
M  C  E  E  A  A  O  A  E  S  D  N  I  R  G
E  D  I  M  R  F  P  F  I  D  J  A  V  A  Y
R  E  Y  B  I  B  F  P  F  B  N  S  G  U  M
I  L  K  A  I  T  M  E  U  E  M  A  T  U  B
C  I  C  I  Y  R  A  Z  I  C  E  U  R  M  P
A  C  H  U  N  N  A  S  U  N  C  P  L  G  E
N  I  E  S  P  R  E  S  S  O  E  I  O  O  R
O  O  E  T  T  A  L  K  K  E  E  Z  N  T  C
A  U  F  R  E  N  C  H  P  R  E  S  S  O  O
T  S  T  U  N  O  D  N  I  K  N  U  D  I  L
I  R  I  S  H  C  O  F  F  E  E  G  W  R  A
M  A  C  C  H  I  A  T  O  A  H  C  O  M  T
R  O  A  S  T  E  D  I  W  E  U  B  Z  N  O
S  K  C  U  B  R  A  T  S  X  A  Y  R  C  R
```

AMERICANO	DEMITASSE	KENYA
ARIBICA	DRIP	LATTE
BREW	DUNKIN DONUTS	MACCHIATO
CAFFEINE	ESPRESSO	MOCHA
CAPPUCCINO	FRENCH PRESS	MUGS
COFFEE POT	GRANDE	PERCOLATOR
COLUMBIAN	GRINDS	ROASTED
DECAF	IRISH COFFEE	STARBUCKS
DELICIOUS	JAVA	

Puzzle #37

SNACKS

```
S  D  N  O  M  L  A  E  B  A  N  A  N  A  F
Y  X  E  S  S  K  P  I  L  C  G  L  D  J  U
F  K  R  S  T  A  E  A  B  P  H  M  N  P  D
O  X  R  A  E  O  A  E  P  E  P  I  D  I  G
B  L  U  E  B  E  R  R  I  E  S  A  P  Y  E
E  L  C  R  J  N  H  R  R  K  A  S  Q  S  P
P  T  B  E  S  F  I  C  A  M  O  C  N  P  O
E  K  A  D  K  E  E  E  M  C  F  O  H  R  P
A  E  K  L  S  A  N  E  T  U  N  V  C  E  D
N  E  T  U  O  H  C  U  B  O  A  M  E  T  H
U  W  C  R  A  C  K  E  R  S  R  V  K  Z  D
T  R  U  G  O  Y  O  H  C  P  Q  P  Z  E  Y
S  R  N  Y  R  G  U  H  L  I  M  Z  A  L  F
R  A  I  S  I  N  S  N  C  F  R  I  D  S  H
P  E  A  N  U  T  B  U  T  T  E  R  B  Y  O
```

ALMONDS	CHOCOLATE	PRETZELS
APPLE	COOKIE	PROTEIN BAR
BANANA	CRACKERS	PRUNES
BEEF JERKY	FUDGE POP	RAISINS
BLUEBERRIES	PEACH	RICE CAKE
CARROTS	PEANUT BUTTER	YOGURT
CHEESE	PEANUTS	
CHIPS	PEAR	

Puzzle #38

MILK

```
B  R  E  A  K  F  A  S  T  L  C  J  G  C  C
B  U  T  T  E  R  C  M  G  M  L  O  C  A  H
U  L  D  N  C  S  E  E  R  O  T  U  W  R  O
E  E  F  F  O  C  E  M  R  A  A  V  B  T  C
S  K  I  M  O  I  M  E  A  E  F  T  M  O  O
D  C  U  Z  K  R  T  I  H  E  A  E  A  N  L
F  O  Y  R  I  A  D  A  L  C  R  L  H  M  A
B  U  D  D  E  R  S  Z  T  K  P  C  Q  U  T
E  K  A  H  S  K  L  I  M  C  M  A  E  S  E
N  I  E  T  O  R  P  U  V  I  A  A  G  C  Q
S  T  R  A  W  B  E  R  R  Y  X  L  N  L  I
Z  T  R  J  T  F  Z  A  B  S  P  G  D  E  I
A  D  X  F  H  X  Z  W  I  I  O  G  X  S  H
Y  Q  M  S  K  E  B  V  Q  U  L  B  A  G  Q
F  W  C  J  B  Q  U  Q  J  W  R  F  W  F  O
```

BREAKFAST COOKIES MILKMAN
BULL COW MILKSHAKE
BUTTER CREAMER MUSCLES
CARTON DAIRY PROTEIN
CEREAL FARM SKIM
CHEESE GOAT STRAWBERRY
CHOCOLATE ICE CREAM UDDERS
COFFEE LACTATION

Puzzle #39

OUTER SPACE

```
M  I  L  K  Y  W  A  Y  T  E  M  O  C  P  X
B  E  Y  Y  L  X  T  D  I  O  R  E  T  S  A
I  R  L  A  T  I  A  E  E  A  L  U  B  E  N
G  A  A  O  R  I  G  L  N  M  M  V  F  I  Z
B  E  Q  T  H  A  V  H  A  A  O  S  T  R  N
A  B  U  L  S  K  M  A  T  G  L  R  A  S  P
N  P  A  R  S  E  C  M  R  Y  W  P  D  L  F
G  X  S  M  D  O  K  A  A  G  E  L  Z  N  P
T  N  A  I  G  S  A  G  L  G  C  A  I  M  A
E  S  R  E  V  I  N  U  M  B  A  X  R  Y  C
N  O  I  T  A  I  D  A  R  U  U  M  L  K  F
Y  T  I  V  I  T  A  L  E  R  U  V  V  D  X
D  N  I  W  R  A  L  O  S  E  Q  C  D  A  Y
A  V  O  N  R  E  P  U  S  C  Y  M  A  L  Q
Q  Y  C  W  U  M  J  O  O  H  D  G  W  V  B
```

ANDROMEDA	GRAVITY	RADIATION
ASTEROID	LIGHT YEAR	RELATIVITY
BIG BANG	MILKY WAY	SOLAR WIND
BLACK HOLE	NEBULA	STAR
COMET	PARSEC	SUPERNOVA
GALAXY	PLANET	UNIVERSE
GAMMA RAY	PLASMA	VACUUM
GAS GIANT	QUASAR	

Puzzle #40

CLASSROOM

```
B  R  E  D  N  I  B  M  A  P  V  D  B  Y  D
O  A  D  R  A  O  B  K  C  A  L  B  E  A  Z
O  C  C  D  I  C  T  I  O  N  A  R  Y  S  V
K  P  O  K  L  A  E  B  O  L  G  P  O  Q  K
S  O  O  M  P  E  H  P  E  N  C  I  L  U  S
R  R  O  T  P  A  A  C  A  T  T  L  C  I  M
S  E  E  B  P  U  C  R  T  P  A  S  U  Z  A
C  T  Z  N  E  A  T  K  N  E  E  B  E  Q  R
R  P  N  I  N  T  L  E  Y  I  A  R  L  T  T
L  Q  H  E  N  A  O  S  R  L  N  C  E  E  B
L  P  H  N  D  A  L  N  C  J  A  G  H  Y  O
Z  T  M  A  E  U  G  P  V  S  M  T  S  E  A
W  O  D  N  I  W  T  R  Q  X  U  M  T  T  R
P  H  K  L  J  O  F  S  O  S  B  B  K  V  D
D  R  A  O  B  E  T  I  H  W  W  E  B  U  J
```

BACKPACK	GLOBE	PLANNER
BINDER	LAPTOP	QUIZ
BLACK BOARD	LEARNING	SMART BOARD
BOOKS	MAP	STUDENTS
CHAIR	NOTEBOOK	TABLE
COMPUTER	ORGANIZER	TEACHER
DESK	PAPER	TEST
DICTIONARY	PENCIL	WHITE BOARD

HERBS
Puzzle # 1

L	B	E	C	O	L	L	I	D	F	E	N	N	E	L
C	I	A	G	H	R	R	E	R	U	E	M	T		R
M	I	S	Y	A	I	T	E	G	A	S	I	H		O
M	L	L	A	L	R	V	N	D	A		N	Y		S
P	A	A	R	B	E	O	E	A	N	V	T	M		E
E	A	R	B	A	S	A	B	S	L	E	O	E		M
P		R	O	N	G	A	F			I	V	L		A
P			S	J	O		V			C	A			R
E			L	R	M		O					L		Y
R				E	A	E	O	R	E	G	A	N		O
M					Y	M	L		Y					
I	S	A	L	A	D	B	U	R	N	E	T			
N	S	P	E	A	R	M	I	N	T					
T	A	R	R	A	G	O	N							

ASH
Puzzle # 2

N	E	P	S	A	B	A	O	B	A	B			C	S
H	E	R			U	A	Y	R	I	O			H	A
E	C	L	A		T	N	S	R	I	R	A		E	S
	N	E	M	D	T		R	S	R	F	C	K	S	S
	I	E		E			O	W	E		H	T	A	
D		P	B	R	C			H	O	H		N	F	
C	O	T	T	O	N	W	O	O	D	T	O	C	U	R
H	H	O	E		U	M	A	P	L	E	W	D	T	A
W	I	C	W	R	T	S	P	R	U	C	E	A		S
I	C	R	D	O	T	U	N	L	A	W		H		
	L	K	A	E	M									
	L	O	L	R	A									
	O	R		C										
	W	Y		Y										
			S											

SCHOOL
Puzzle # 3

A	K	D	R	A	O	B	K	C	A	L	B	C	G
S	C	C	E	Y	R	E	D	L	O	F		A	R
S	R	L	A	S	R	G	L	O	B	E		L	A
I		E	A	P	K	A	M	Y	G			E	D
G	Q	K	P	S	K		N	L	E	A	R	N	E
N		U	O	A	S	C		O				D	S
M		I	O	P	R	A	L	I	B	R	A	R	Y
E	P		Z	B		O	B		T	T	R		
N	G	E	H	O	M	E	W	O	R	K	C	E	
T	S	N	N			T		M		I	S		
	S	I	C			O				D	T		
		E	D	I			N	R	U	L	E	R	
		C	A	L	A	P	I	C	N	I	R	P	
		E	E	T	N	E	D	U	T	S			
T	E	A	C	H	E	R	R	G	N	I	T	I	R	W

TOOLS
Puzzle # 4

H	E	X	A	S	L	P	M	A	L	C	D	L	R	S
C	C	W	R	T	R	E	E			R	A	U	C	
V	R	N	A	E	E	E	S	X		I	D	L	R	
	I	O	E	S	M	L	P	I	A		L	D	E	E
		S	W	R	K	M	L	I	H	K	L	E	R	W
		E	B	W	C	A	A	L	C	C	R		D	
L	E	V	E	L	A	N	A	H	M	A		I		R
J	I	G	S	A	W	R	E	H	P		C		P	I
R	E	D	N	I	R	G	P	L	L	L				V
R	O	U	T	E	R			L	L	E	A			E
S	H	O	V	E	L			I	A	W	N			R
T	O	O	L	B	O	X			E		O	E		
H	C	N	E	R	W				R		R			
									S		T			

MEASUREMENTS
Puzzle # 5

E	B	U	S	H	E	L	C	A	R	A	T	P		
H	R	A	R	E	T	E	M	I	T	N	E	C	U	
N	T	C	R	E	E	R	G	E	D	O	Z	E	N	C
M	O	P	A	R	T	E	E	F	H	E	I	G	H	T
L	A	L	E		E	I	M	A	S	S		N		
M	E	R	L	D		L	L				C			
I	E	N	G	A	K	I	L	O	G	R	A	M		H
C	M	T	G		G	M	E	G	A	P	I	X	E	L
R	I	R	E	T	I	L	I	L	L	I	M	O		
O	L	E		R	H				U					
G	E		T	N	E	C	R	E	P		N			
R		U						C						
A			N					E						
M				I										
					M									

US STATES
Puzzle # 6

A	M	A	B	A	L	A	S	A	S	N	A	K	R	A
C	K	G	N	I	I	A	W	O	I	M	A	I	N	E
K	O	S	E	O	D	N	M	A	N	A	T	N	O	M
T	E	L	A	O	Z	A	R	A			D			
E	H	N	O	L	R	I	H	O	R	O	H	I	O	
X		A	T	R	A	G	R	O	F	Y		A		
A	M		T	U	A	T	I	A		I	L	N		
S		I		U	C	D	O	A		L	A			
		C			K	O	S				A	N		
			H			Y		E				C	D	
A	N	A	I	S	I	U	O	L		N				
N	E	V	A	D	A	G				N				
			A	K	S	A	R	B	E	N	I			
I	R	U	O	S	S	I	M	N				M		
A	M	O	H	A	L	K	O	R	E	G	O	N		

PLANTS
Puzzle # 7

A	O	D	B	U	L	B	Y	B	U	S	H	E	R	B
E	C	O	U	N	R	E	F	N	S	U	T	C	A	C
V	N	O	B	B		R	G		A	T	I	U	R	F
E		O	R	M		R	R	R		T	I	V	Y	
R		C	N	A	Y	A	R	E	V	O	L	C		
G	R	A	S	S		B	I	T		P		B		
R	E	W	O	L	F		N		C	L	I	L	Y	
E	K	E	L	P	M	O	S	S		E	S	N		
E	P	A	L	M	N	E	L	L	O	P	N	E	U	
N											E	J		
												D		

CLEANING
Puzzle # 8

M	O	O	R	B	C	A	R	P	E	T			D	S
T	O	G	N	L	E	L	S	E	H	S	I	D	U	O
S	N	O	N	E	A	L	O	S	Y	L			S	A
S	P	E	R	I	H	U	I	T	S	I	N	K	T	P
	E	R	G	H	T	C	N	T	H				P	
		P	I	R	T	S	T	D		E			A	
			I	N	E	A	U	I	R		S		N	
				W	G	T	B	D	K	Y				
				P	A	P	E	R	T	O	W	E	L	
R	E	B	B	U	R	C	S	D	V	E				
D	I	S	H	W	A	S	H	E	R	A	L			
S	T	E	A	M	E	R				C	I			
X	E	D	N	I	W	I	N	D	O	W		U	O	
													U	T
														M

COUNTRIES OF AFRICA
Puzzle # 9

A	L	O	G	N	A	C	B	C	A	Y	N	E	K	L
C	I	I	M	A	L	I	O	A	H			G		I
M	A	R	B	M			T	N	E	A		Y		B
	O	M	E	Y	A		S		G	N	D	P		E
	R	E	G	A	D	W		M	O	I	T		R	
	O	R	L		A		O	N		U		I		
	C	O	A	N	G	Z		A		G	A			
N	I	G	E	R	C	O	A		A		D			
	O	N	I	M	S		U							
E	T	H	I	O	P	I	A		B		C		S	
A	I	R	E	G	I	N		I	M		A			
S	W	A	Z	I	L	A	N	D	Q		A		R	
	A	C	I	R	F	A	H	T	U	O	S	Z		
A	I	N	A	Z	N	A	T		E					
U	G	U	A	N	D	A	Z	I	M	B	A	B	W	E

FAMOUS SHIPS
Puzzle # 10

A	B	K	B	O	U	N	T	Y	E	S	S	E	X
R	E	C	R	T	H	G	U	O	N	D	A	E	R	D
I	A	L	O	A	E	S	I	R	P	R	E	T	N	E
Z	G	E	U	N	M	D	O	O	H	I	O	W	A	M
O	L	E	N	S	S	S	R	S					I
N	E	M	S	I	I	T	I	O	A				S
A	I		A	O	A	T	I	B	T	X			S
	K	T	Y	R	M	A	T	Y	I	E			O
		M	I	F	Y		N	U	A	N	T		U
			E	T	L	R		I	T	M	O		R
			T	A	O	A		A	I	A	M	I
K	R	A	S	H	A	O	N	W	M			O	T
V	I	C	T	O	R	Y	P	I	E			N	O
Q	U	E	E	N	M	A	R	Y	C	R
A	I	R	A	M	A	T	N	A	S

CAR PARTS
Puzzle # 11

A	G			A	T	Y	B	R	A	K	E	S
C	R	A		I	N	S	R	E	E	H	O	O	D
C	H	O	B		R	D	N	E	E	N	P
E	O	H	O	R	F	F	A	E	R	T	I	M
L	R		E	D	I		E	S	T	M	T	G	U
E	N		A	L	A		N	H	N	R	A	N	B
R		H	C	T	U	L	C	D	B	A	A	B	E
A			E	E			E	O
T			R	O	R	R	I	M	R	A
O	H	E	A	D	L	I	G	H	T			R
R	P	A	C	B	U	H	R	E	L	F	F	U	M	D
R	E	T	E	M	O	D	O
R	A	D	I	A	T	O	R
T	L	E	B	T	A	E	S
G	U	L	P	K	R	A	P	S

NATURAL DISASTERS
Puzzle # 12

E	H	C	N	A	L	A	V	A	R	A	I	N
F	M	Y	D	R	O	U	G	H	T
L	U	C	E	N	F	L	A	S	H	L	I	G	H	T
O	D	L	M	A	O	H	U	R	R	I	C	A	N	E
O	S	O	A	R	R	I	M	O	N	S	O	O	N	S
D	L	N	R	N	O	T	T	W				H
O	I	E	O	E	D	T	H	A	O			E
	D		R	N	D	S	S	Q	U	N		L
	E	N		I	A	C	L	L	U	C	S		T
		A		F	C	R	I	I	A	A		E
			R		D	L	O	D	A	K	V		R
				O		L	O	S	E	H	E	E
I	M	A	N	U	S	T		I	V	S
R	E	H	T	A	E	W			W
W	I	N	D	S	T	O	R	M

SCIENCE
Puzzle # 13

Y	M	O	T	A	B	B	C	E	L	L	D			
L	M	Y	S	R	I	I	O	L	N		A			
	A	O	G	S	E	R	O	T	I	E			T	
E		C	N	O	A	T	E	L	A	M	R			A
V			I	O	L	M	T	T	O	N	A	G		M
O			M	R	O		A	C	G	Y	T	Y	I	
L			E	T	E		M	A	Y	E	E	C		
U				H	S	G			B	S		R		
T	N	E	M	E	L	E	C	A			T		O	
I	T	N	E	M	I	R	E	P	X	E		T		S
O	Y	T	I	V	A	R	G				U		C	
N	S	I	S	E	H	T	O	P	Y	H		B		O
Y	R	O	T	A	R	O	B	A	L			E		P
E	L	U	C	E	L	O	M							E
S	C	I	S	Y	H	P	H	C	R	A	E	S	E	R

COUNTRY
Puzzle # 14

D	I	N	D	O	N	E	S	I	A	I	R	A	N	T
T	N	Q	A	R	I	Y	I	S	R	A	E	L		U
A	D	A	O			L			E		T		R	
N	I		L	G			A			L	H	T	K	
Z	A			E	O			T			A	U	E	
A	G	N	O	T	C	T			I		I	N	Y	
N	T	A	J	I	K	I	S	T	A	N		L	I	D
I	S	A	X	E	T					A	S	T	A	
E	T	S	E	L	R	O	M	I	T		N	I	U	N
A	T	S	I	N	E	M	K	R	U	T	D	A	V	
												A		
												L		
												U		

BEACH
Puzzle # 15

F	T	I	U	S	G	N	I	H	T	A	B			F
L	R	I	N	I	K	I	B	C	O	O	L	E	R	I
H	L	I	S	H	A	R	K		R					S
O	S	A	S	L	I	F	E	G	U	A	R	D		H
N	C	I	B	B					B					I
S	A	E	F	H	E	E	R	T	M	L	A	P		N
A	S	C	A	Y	C	E	S	L	A	D	N	A	S	G
N	E		I	N	L	A	T	A	O	B	L	I	A	S
D	A		L	L	L	E	H	S	A	E	S			
C	G			E		E	B							
A	U				P		J							
S	L	S	E	S	S	A	L	G	N	U	S			
T	L	N	E	E	R	C	S	N	U	S				
L	S	U	R	F	B	O	A	R	D					
E	U	M	B	R	E	L	L	A						

GENERAL
Puzzle # 16

A	S	C	A	R	V	E	E	F	F	L	R			M
B		K			A	D		L	R	I	A			A
A	R	U	O	P		R	G			Y	O	A	Y	G
F			O		N	E				G	J			I
T				B	R	E	H	T	A	G			S	C
I	N	C	A	N	D	E	S	C	E	N	T		C	S
L	R	E	P	L	Y	I	L	H	C	T	A	M	A	N
K	U		C			L	B				R			C
	A	M		I			A	A			E			W
		E	B		F			U	E		D			
		U	E		I			Q	K					
		Q	R		N			S	I					
		S	W	I	G	G	L	Y		L				
D	N	U	O	R	R	U	S		A					
		S	Y	M	P	T	O	M	A	T	I	C		

AT THE PET STORE
Puzzle # 17

M	U	I	R	A	U	Q	A	B	V	B	H	S	I	F
R	B	I	R	D	F	E	E	D	E	R	O			
S	E	S	W	O	H	C	E		T	D		W		
F	R	I	C	O	L	L	A	R	E	N	A	E	L	C
G	O	E	H			K	P	T			E	S		
U	X	U	T	S		E		E	T		A	P		
I	T	O	N	L	A		N		L	A		S	E	
N	S	E	B	T	I	C	N			L	C	H	R	
E		A	E	R	A	F	E	L	I	T	T	E	R	C
A		L	K	E	I	L					T	H		
P		O	A	T	N	T	R	E	A	T	S	S		
I		N	R	T	W	E	T	F	O	O	D			
G				A	I									
S	N	I	M	A	T	I	V	P	L					

BOATS
Puzzle # 18

R	P	Y	E	O	N	A	C	M	D	K	C	O	D	
Y	O	I	O	H	K	I		A	E	Y	R	R	E	F
	E	H	H	U	U	A	A	S	C		U	A		S
	L	C	S	B	L	Y	T	K		I		O	T	
	L	N	E	T	L	A	P		S			A		
H	E	L	M	A	A	L	A	T	K	A	E		R	
T	H	C	A	Y	G		T	O	A		C		B	
L	A	C	I	T	U	A	N	T	B	O			O	
E	L	O	H	T	R	O	P		A	E	B		A	
P	R	O	P	E	L	L	E	R	V	B	F	G		R
R	U	D	D	E	R	S	A	I	L	O	R	I	U	D
S	E	A	S	I	C	K				Y		L	T	
											A			
												G		
													E	

JOBS
Puzzle # 19

A	R	O	T	C	A	R	R	F			D	G
C	T	E	T	S	A	N	E	E	E		O	A
C	D	H	K	S	I	R	A	K	H	H		C	R
O	E	E	L	A	I	T	P	I	N	C	C	T	D
U	R	V	N	E	B	G	R	E	D	A	T	O	E
N	E	O	I	T	T	R	O	A	N	O	B	U	R	N
T		S	T	T	I	E	E	L		T	T	B	E
A		R	I	C	S		E	O		E	S		R
N			U	D	E	T		N	I		R	U
T				N	E	T			I	B		C
N	A	I	C	I	R	T	C	E	L	E	G
F	A	R	M	E	R			D		N
F	I	R	E	F	I	G	H	T	E	R		E
N	A	M	R	E	H	S	I	F	L	A	W	Y	E	R
R	E	S	S	E	R	D	R	I	A	H

DRUMS
Puzzle # 20

A	C	O	U	S	T	I	C	B	S	O	G	N	O	B
S	A	G	N	O	C	L	L	E	B	W	O	C	H	R
C	D	F	U	S	I	O	N	A	J	T		M	I	U
E	Y	R	S	D	A	P		T	A	A		A	H	S
P	L	M	U				S	Z	B		R	A	H
E	S	D	B	M				Z	L		C	T	E
R		K	D	A	S	T	E	L	L	A	M	H	A	S
C		C	I	L	O	S	N	A	R	E	I	M	T
U			I	D		L					N	B	R
S	T	E	E	L	T	A	R	O	N	E	T	G	O	I
S	O			S	R						B	U	A
I	T	I	M	P	A	N	I	A			A	R	N
O			T					P			N	I	G
N			O								D	N	L
			M									E	E

LUNCH
Puzzle # 21

KITCHEN
Puzzle # 22

A	P	R	O	N	C	A	N	O	P	E	N	E	R	P
C	R	S	E	T	R	O	E	F	I	N	K		S	L
	O	E	K	D	O	E	L	R	E	X	I	M	I	A
R	N	O	Z	I	N	P	H	A	A	K			N	T
W	O	A	K	E	L	E	K	S	N	W	S		K	E
O		T	P	B	E	L	L	C	A	D	T	I		
K			A	G	O	R	E	B	O	W	E	A	H	
			R	N	O	F	T		R	H	R	L	W	
T	E	E	H	S	E	I	K	O	O	C	C	S		F
				G	Y	S		P				I		
A	L	U	T	A	P	S	I	R	E		A			D
T	O	A	S	T	E	R		R	F	C		E		
						F		I		T				
R	O	L	L	I	N	G	P	I	N	E		P		
N	O	R	I	E	L	F	F	A	W		R		S	

INSECTS
Puzzle # 23

TEXAS CITIES
Puzzle # 24

A	A	N	N	B	O	E	R	N	E	D		C		L
B	M	W	O	I	A				A		A		U	
I	A		A	T	T	Y	G	A	R	L	A	N	D	B
L	R		C	G	S	T			L		Y		B	
E	I			O	N	U	O		A		O		O	
N	L				I	A	W	S		N	M	C		
E	L	O	S	A	P	L	E	L		N		L	C	K
F	O	R	T	W	O	R	T	H	T			A	K	
N	G	C				N			R		K	I		
O	O	N	S				E		A	E	N			
	D	T	I	I	G	A	L	V	E	S	T	O	N	
	E	S	V	R				L			E			
	R	U	R	F				L		Y				
	A	O	I					I						
	L	H						K						

ART
Puzzle # 25

A	H	Y	S	E	M	A	R	F	C	L				
B	G	S	H	A	G		L		H		E			
S		N	U	P	V	A		A	A			S	P	
T			I	R	A	N	P	Y	R	E	L	L	A	G
R			W	B	R	A	U	C	U			S	E	
A				A		G	C	O		M		T	S	
C	I	A	S	O	M	R		I	A	C		E	T	
T	I	B	I	H	X	E	D		L		E		L	I
L	A	N	D	S	C	A	P	E		L		D		L
E	C	E	I	P	R	E	T	S	A	M	A			L
I	L	L	U	S	T	R	A	T	I	O	N	C		L
M	I	X	E	D	M	E	D	I	A					I
M	U	E	S	U	M	G	N	I	T	N	I	A	P	F
T	I	A	R	T	R	O	P	S	K	E	T	C	H	E
S	C	U	L	P	T	U	R	E						

CAMPING
Puzzle # 26

E	S	B	C	C	E	T	U	O	K	O	O	C		R
G	R	S	A	A	A	O	H	E	S	N	M	A	P	A
T	N	U	E	C	M	M	N	U	P	R	O			C
	N	I	T	R	K	P	P	A	N	O	A	T		C
		E	H	N	T	P	F	S	C	T	R	T	S	O
			T	S	E	T	A	I	I	L	I		S	O
				I	V	A	C	R	T	I	N			N
N	A	T	U	R	E	F	D	M	K	E	E	A	G	S
K	N	A	P	S	A	C	K	A	R	S		R		
T	N	E	M	P	I	U	Q	E	S	I	D			T
T	H	G	I	L	H	S	A	L	F	M	A	O		
S	T	O	O	B	G	N	I	K	I	H	O		O	
S	L	E	E	P	I	N	G	B	A	G		R		W
S	T	A	T	E	P	A	R	K			E			
W	I	L	D	L	I	F	E							S

LIQUOR DRINKS
Puzzle # 27

A	B	A	Y	B	R	E	E	Z	E	B	D	M	M	S
R	M	A	N	I	L	A	T	A	C	L	A	A	O	A
L	E	A	C	O	S	M	O		O	Q	R	S	Z	
I	E	D	M	G	I	M	L	E	T	O	U	G	C	E
L	N	V	D	A		I			D	I	A	O	R	
P	L	O	A	O	M	S	N			Y	R	R	W	A
A	O	U	R	N	C	A	A	I		M	I	I	M	C
A	S	R	B	G	Y	E	H	L	T	A		T	U	
	M	O	D	Y	E	Z	P	A	T	R		A	L	
		O	M	N	N	N	Z	A	B	Y	A		E	
			L	I	O	R	N	U	C		D	M		
				A	M	M	O	I	F			O		
				P		E	H	G			G			
Z	O	M	B	I	E	P	E	L	U	J	T	N	I	M
N	A	T	T	A	H	N	A	M						

MUSIC CLASS
Puzzle # 28

O	O	T	D	R	O	H	C	F	E	L	C	Y	
T	R	I	A	E	O	J	A	Z	Z	R	R		E
M	A	G	G	E	R	J	R	R	O	S	E	E		K
P	E	L	E	G	B	U	A	O	M	C	H	T	S
I	C	L	F	L	E	R	S	M	N	O	T	A	E	T
T		I	O		L	P	H	A		I	N	A	R	M
C		F	N	D		A	R	Y	E		M	Y	V	P
H			F	O	Y		A	T	M		S		E
N	O	I	T	A	T	O	N			H		C
T	E	M	P	O	T	A				M	A
T	R	E	B	L	E	S	T				L
						N			E
					E			
						P

EXERCISE
Puzzle # 29

S	L	L	A	B	T	E	K	S	A	B				
G	C	L	I	M	B	I	N	G	H	I	K	I	N	G
G	N	I	C	R	O	S	S	F	I	T				
G	N	I	B	L	G	E	T	A	R	A	K			
R	N	I	X	O	L	N	P	S	E	T	A	L	I	P
G	A	I	L	O	R	A	I	O	R	E	C	C	O	S
A	N	C	C	C	B	E	B	G	R					W
	G	I	Q	N	Y	S	A	T	G	P				I
	O	W	U	A	C	P	S	O	O	M				M
	Y	O	E	D	A	I	I	O	J	U				M
		R	T		B	N	N	F					J	I
G	N	I	T	A	K	S	B		M	N	N			N
T	A	I	C	H	I		A		U	I	E	G		
S	T	H	G	I	E	W		L		Z	N	T		
								L			G			

WIND
Puzzle # 30

A	A	E	F	G			C	M	B	T	L			
S	C	V	Z	L	O		L	I	L	H	S	I		
	L	I	A	E	O	F	O	S	I	U		O	A	
		E	D	L	E	O	U	T	Z	R		R	H	
H	A	Z	E	R	A	R	D		Z	R		T	F	
N	I	A	R	T	A	N	B		A	I	S	N	O	W
H	S	U	L	S		I	C		R	C		R		
C	Y	C	L	O	N	E	N	H	D	A		N		
H	E	A	T	W	A	V	E	L	E	N		A		
L	I	G	H	T	N	I	N	G	L	E		D		
M	T	H	U	N	D	E	R			A		O		
R										U				
	O										Q			
		T										S		
			S											

YARD
Puzzle # 31

L	L	A	B	T	E	K	S	A	B	H	C	N	E	B
D	G	K		F	S	C	E	G	E	D	N	A	L	
R	R	R	C	L	P	O	N	G	A	T	E	W		
I	A	I	E	O	O	O	P	E	A	R	A	E	A	
V	S	P	B	W	M	O	R	M	F	R	D	G	R	L
E	S	A	T	E	O	M	P	C	O		A	E		T
W	T	T	E	R	N	M	A		H	C		G	N	
A	O	I	R	S	A	I		H	G	N	I	W	S	
Y	N	O	R		B	L	E	R	R	I	U	Q	S	
	E		A			B	O							
	S		C				I	P						
		E					T	M						
									A					
										R				
											T			

COMPUTERS
Puzzle # 32

A	B	R	E	D	O	W	N	L	O	A	D	F	G	S
N	E	A	E	S	E	M				I	I	I	O	
A	N	C	S	A	S	O				G	L	G	F	
L		C	K	W	B	K	U			I	E	A	T	
O			R	U	O	A	T	S			T	V	B	W
G				Y	P	R	T	O	E	A	I	Y	A	
P	O	T	P	A	L	P	D	B	A	P	L	R	T	R
M	O	N	I	T	O	R	T	R	Y	D		U	E	E
L	L	A	W	E	R	I	F	I	A	R		S		
E	R	A	W	D	R	A	H		O	O	O			
F	L	A	S	H	D	R	I	V	E	N		B	M	
E	M	A	R	F	N	I	A	M				Y	E	
M	O	T	H	E	R	B	O	A	R	D			E	M
N	E	T	W	O	R	K	R	E	T	U	O	R		K
D	R	O	W	S	S	A	P	S	E	R	V	E	R	

TREES
Puzzle # 33

H	A	B	B	H	B	I	R	C	H	L	A	R	C	H
F	S		A	T	C	Y	C	H	E	S	T	N	U	T
I	P	A	S	O	U	E	R	E	K	D			M	
R	E		S	D	B	N	E	R	L	A	A		A	
	N	D	W	Y	O	A	R	B	E	M	O	R	P	
E		R	O	E	R	O	B	E		H			L	
W	C		O	O	R	O	W	W	T		C		E	
	A	U	D	H	W	O	K	N	O	T	P	I	N	E
		L	R		T	D	M	C	O	L	U			
		N	P		W	E	A	I	T	L	B			
			U	S		A	R	C	H	T	I			
			T		H		Y		O	W				
S	A	S	S	A	F	R	A	S		S		C		

ON THE ROAD
Puzzle # 34

E	A	C	C	I	D	E	N	T	B	S	U	B	C
R	T	E	L	C	Y	C	I	B		R		A	E
P	U	A	Y	S	Y	A	L	L	O	T	I		R	X
O	M	O	R	A	T	A	W				D		P
V	N	A	T	E	W	H	W	E				G	R
E	K	A	R	E	L	E	G	H	V				E
R	N	L	I	T	D	E	E	I	G	I			S
P	N	O	A	R	I	V	C	R	L	I	R		S
A		G	Z	W	T	X	E	C	F	D	H	D		W
S		I	L	E	S	E	H	A		A			A
S			S	O	D	E		I			E		Y
			P	O	I	D		C			H		
			O	H	S	E		L					
S	E	A	T	B	E	L	T	C		P		E	
C	I	F	F	A	R	T		S	S				

ROADS
Puzzle # 35

A	E	B	E	Y	C	I	R	C	L	E			
C	Y	U	O	G	A	T	R	U	O	C	V		
C	H	A	N	U	D	W	P	M	A	R	T	I	X	E
E	T	I	W	E	L	I	E	Y				R	
S		E	G	E	V	E	R	S	A				D
S			E	H	E	A	V	B	U	W		W	
R			R	W	R		A		A	L	A		
O				T	A	F		R		C	L		
A				S	Y		D		K	O			
D	F	A	E	L	R	E	V	O	L	C		W		T
E	X	P	R	E	S	S	W	A	Y			A	
I	N	T	E	R	S	E	C	T	I	O	N	Y	
S	S	A	P	R	E	V	O	Y	A	W	K	R	A	P
T	O	L	G	N	I	K	R	A	P				
S	E	R	V	I	C	E	R	O	A	D			

COFFEE
Puzzle # 36

A	D	W	C	C	C	N	F	A	C	E	D	R	I	P
M	C	E	E	A	A	O	A	E	S	D	N	I	R	G
E	D	I	M	R	F	P	F	I	D	J	A	V	A	
R	E		B	I	B	F	P	F	B	N	S	G	U	M
I	L		A	I	T		E	U	E	M	A			
C	I			Y	R	A		I	C	E	U	R		P
A	C				N	A	S		N	C	P	L	G	E
N	I	E	S	P	R	E	S	S	O	E	I	O	O	R
O	O	E	T	T	A	L	K		E			N	T	C
	U	F	R	E	N	C	H	P	R	E	S	S	O	O
	S	T	U	N	O	D	N	I	K	N	U	D		L
I	R	I	S	H	C	O	F	F	E	E				A
M	A	C	C	H	I	A	T	O	A	H	C	O	M	T
R	O	A	S	T	E	D								O
S	K	C	U	B	R	A	T	S						R

SNACKS
Puzzle # 37

S	D	N	O	M	L	A	E	B	A	N	A	N	A	F
Y		E	S			P		L	C					U
	K	R	S	T		E			P	H				D
	R	A	E	O	A	E	P		P	I				G
B	L	U	E	B	E	R	R	I	E	S	A	P		E
E				J	N	H	R		K	A			S	P
P	T		E	S	F	I	C	A		O	C		P	O
E		A		K	E	E	E		C		O	H	R	P
A			L		A	N	E	T				C	E	
N				O		C	U	B	O				T	
U		C	R	A	C	K	E	R	S	R			Z	
T	R	U	G	O	Y	O		C	P		P		E	
S						H		I				L		
R	A	I	S	I	N	S		C		R		S		
P	E	A	N	U	T	B	U	T	T	E	R			

MILK
Puzzle # 38

B	R	E	A	K	F	A	S	T	L	C			C	C
B	U	T	T	E	R	C	M	G		L	O		A	H
		N	C	S	E	E	R	O		U	W	R	O	
E	E	F	F	O	C	E	M	R	A	A		B	T	C
S	K	I	M	O	I	M	E	A	E	F	T		O	O
		K		T	I	H	E	A				N	L	
	Y	R	I	A	D	A	L	C	R	L		M	A	
U	D	D	E	R	S		T	K		C		U	T	
E	K	A	H	S	K	L	I	M	C	M		E	S	E
N	I	E	T	O	R	P			A	A		C		
S	T	R	A	W	B	E	R	R	Y		L	N	L	I
												E		
												S		

OUTER SPACE
Puzzle # 39

M	I	L	K	Y	W	A	Y	T	E	M	O	C		
B	E	Y	Y	L	X	T	D	I	O	R	E	T	S	A
I	R	L	A	T	I	A	E	E	A	L	U	B	E	N
G		A	O	R	I	G	L	N	M	M				
B		Q	T	H	A	V	H	A	A	O	S			
A		U		S	K	M	A	T	G	L	R	A		
N	P	A	R	S	E	C	M	R	Y		P	D	L	
G		S			A	A	G	E			N	P		
T	N	A	I	G	S	A	G	L	G		A		A	
E	S	R	E	V	I	N	U	M	B		R			
N	O	I	T	A	I	D	A	R	U					
Y	T	I	V	I	T	A	L	E	R	U				
D	N	I	W	R	A	L	O	S		C				
A	V	O	N	R	E	P	U	S			A			
											V			

CLASSROOM
Puzzle # 40

B	R	E	D	N	I	B	M	A	P		D	
O	A	D	R	A	O	B	K	C	A	L	B	E
O	C	C	D	I	C	T	I	O	N	A	R	Y	S
K	P	O	K	L	A	E	B	O	L	G		Q	K
S	O	O	M	P	E	H	P	E	N	C	I	L	U	S
R	R	O	T	P	A	A	C	A	T	T		I	M
S	E	E	B	P	U	C	R	T	P	A	S		Z	A
T	Z	N	E	A	T	K	N	E	E	B	E		R
	N	I	N	T	L	E		I	A	R	L	T	T
	E	N	A	O		R		N	C		E	B
		D	A	L	N			G	H		C
		U	G	P				E	A
W	O	D	N	I	W	T	R				R
		S	O				D
D	R	A	O	B	E	T	I	H	W			

CPSIA information can be obtained
at www.ICGtesting.com
Printed in the USA
BVHW052028120421
604747BV00005B/301

9 781801 750097